T'EN SOUVIENS-TU,
MON ANAÏS ?

et autres nouvelles

MICHEL BUSSI

T'EN SOUVIENS-TU, MON ANAÏS ?

et autres nouvelles

© 2018, Pocket, un département d'Univers Poche,
pour la présente édition.
ISBN : 978-2-266-28243-7
Dépôt légal : janvier 2018

Sommaire

T'en souviens-tu, mon Anaïs ?

Banquet offert par Victor Hugo aux enfants de Veules
(24 septembre 1882).

Une légende tenace veut que la station de Veules-les-Roses, sur la Côte d'Albâtre, ait été lancée en 1826 par l'actrice Anaïs Aubert. Tous les guides d'histoire locale racontent cette anecdote : la belle serait tombée un matin sous le charme de ce village de pêcheurs à la suite d'une soudaine fuite nocturne de Paris. Mais sans la mémoire des Veulais, le nom d'Anaïs Aubert aurait depuis longtemps été ajouté à la liste des artistes célèbres tombés dans les oubliettes de l'histoire.

Qui était la belle Mlle Anaïs ? Quel secret emportait-elle lors de sa chevauchée de Paris à Veules ?

Le visiteur curieux a beau multiplier les recherches. S'entêter, s'acharner. Se perdre dans les archives. Mystère…

Il ne lui reste plus qu'une solution. Ne rien inventer. Tout imaginer.

Tous les lieux de ce récit, à l'exception de la Villa Odéon, existent à Veules et sont fidèlement décrits. Il en est de même pour les références artistiques à Anaïs Aubert et Victor Hugo.

Quant à la façon d'ordonner les pièces du puzzle, j'en assume l'entière responsabilité.

1.

Veules-les-Roses, le 23 janvier 2016

Je tiens la lettre entre mes mains. Gilbert Martineau m'a appelée il y a à peine cinq minutes. J'étais occupée à peindre dans l'atelier. Je dessinais des motifs géométriques sur des écorces de bouleau rappelant vaguement les écailles vernies d'une carapace de tortue.

— M'selle Ariane ! a crié Martineau.

Sur l'instant, je l'ai maudit, j'ai cru qu'il allait réveiller Anaïs. Elle dort juste au-dessus, dans sa chambre, mais tout s'entend dans cette maison où aucune porte ne ferme. Aujourd'hui, exceptionnellement, Anaïs ne passe pas la journée chez ses grands-parents. Ils ont un rendez-vous à Dieppe, une histoire de notaire, je crois.

— M'selle Ariane, m'a expliqué Martineau, un peu moins fort devant mes yeux furieux de mère inquiète. J'ai trouvé ça ! Juste derrière le placo.

Il m'a désigné du bout de sa truelle une enveloppe coincée dans un trou du mur qu'il est en train de rénover.

— C'est bizarre, a-t-il insisté, hier, quand j'ai abattu le reste de la cloison, je ne l'ai pas remarquée. À croire que quelqu'un l'a posée ici cette nuit.

Je souris. Malgré moi, j'enregistre. Gilbert Martineau a fait le gros œuvre hier, explosé à coups de masse les couches de plâtre et les lambeaux de papier peint orange qui les recouvrent, toutes ces horribles décorations datant d'il y a cinquante ans. La mission que j'ai confiée à Martineau, c'est de retrouver le charme originel de la pièce, la délicieuse ambiance des villas du dix-neuvième siècle, tendance bains de mer, poutres apparentes, brique et silex. Un décor qui offrira un écrin authentique à mes œuvres et générera auprès des touristes une irrésistible envie de les acheter.

La lettre n'inquiète pas plus que cela Gilbert Martineau qui est déjà reparti tremper sa truelle dans une sorte de mortier beige.

Moi si...

Mes doigts tremblent lorsqu'ils ouvrent l'enveloppe. Je découvre une écriture vieillie, des courbes délicates, les traits fins d'une plume habilement maniée sur un papier épais et jauni. Quelque chose de très ancien, c'est certain. Mes yeux se posent sur le haut de la page et confirment mon intuition.

Veules-en-Caux, 1851.

À l'époque, les habitants du village n'avaient pas encore transformé le « Caux » en « Roses ». Ils ne fleurirent leur patronyme qu'en 1897.

Chère Anaïs...

Tout de suite, mes yeux se troublent, mon cœur explose. Serait-ce possible ? *Anaïs*. Pas mon Anaïs, bien entendu, pas ma petite chérie qui dort à l'étage dans son lit de poupée malgré les cris et les coups de masse de Martineau. *Une lettre à Anaïs Aubert,* la comédienne, la fameuse...

La fondatrice...

Mon regard glisse vers la signature.

Votre dévoué mousquetaire.

Mélingue.

Tout mon corps frissonne. *Mélingue...* Je repense à tout ce qu'Alexandre m'a appris depuis quelques jours sur l'histoire de Veules-les-Roses, le nom des rues, ces illustres artistes qui fondèrent la station balnéaire il y a près de deux cents ans. *Mélingue* était l'acteur le plus populaire du début du dix-neuvième siècle, l'immortel D'Artagnan, le comédien préféré d'Alexandre Dumas, l'amoureux de Veules, le confident d'Anaïs Aubert. Je tente de me calmer. Martineau siffle dans la pièce d'à côté, celle qui deviendra la réserve de ma boutique. Je perçois également un bruit discret à l'étage, comme si mon Anaïs se réveillait.

Attends, attends encore un peu mon cœur.

Je dévore rapidement les lignes manuscrites. Mon cœur cogne, comme si le courrier m'était destiné, comme si j'ouvrais la lettre d'un amant. Mélingue parle de choses étranges. Il rassure Anaïs Aubert, restée à Paris, il évoque son talent, sa carrière à ne pas gâcher, les mots défilent. *« Viendrez-vous à Veules pour les fêtes romantiques ? Chacun vous attend ici. Vous êtes désirée, croyez-le. »*

15

Mélingue cite des noms que je ne connais pas, que ma mémoire accroche, *Amy Ropsart*, *le Roi s'amuse*, *Mademoiselle Mars*.

Je tourne la feuille. On bouge là-haut. Des petits pieds font grincer le parquet. Anaïs, du haut de ses trois ans, qui glisse dans ses chaussons.

J'arrive ma douce, j'arrive.

Mes yeux descendent à nouveau aux derniers mots de la lettre.

« Quoi qu'il en soit, tendre Anaïs, soyez rassurée. Votre secret ici est bien gardé. Il repose entre des mains qui vous sont chères.

Votre dévoué mousquetaire.

Mélingue »

Tout se mêle dans ma tête, je songe de nouveau aux explications d'Alexandre, à ses longs monologues lors de nos promenades, à son obsession, le secret d'Anaïs. Aurais-je découvert un indice qu'il ignore ? La coïncidence me semble tellement invraisemblable…

Je plie la lettre et la replace dans l'enveloppe. Gilbert Martineau me tourne toujours le dos, accroupi face au mur. Il sifflote l'air qui passe en sourdine à la radio, je crois reconnaître une ritournelle de Michel Fugain. Je monte l'escalier, je ne veux pas qu'Anaïs descende seule ces marches branlantes.

Attends-moi ma belle.

Tout en gravissant l'escalier, je repense aux treize jours depuis mon arrivée à Veules. Tous ces étranges petits grains de sable, ces mystères auxquels je n'avais pas prêté attention. Pas vraiment. Cette impression d'être suivie par exemple, dans cette maison, jour et nuit, même lorsque je suis seule, même lorsque Martineau a rangé ses outils et est reparti chez lui. Ces étranges poèmes d'Anaïs, beaux, trop beaux pour avoir été composés par une fillette de trois ans. Cette photographie du banquet offert par Victor Hugo aux petits enfants de Veules, en 1882, que tout le monde semble vouloir me cacher. Et puis Adèle bien entendu. Cette pauvre Adèle. Autant de grains de sable de rien du tout. Aucun, pris séparément, n'est important.

Et cette lettre maintenant.

Je serre ma petite Anaïs dans mes bras. Son sourire envoie valser en poussière d'étoiles ces graines d'angoisse. Elle tient fermement contre sa poitrine son autruche violette, un émeu prétendent les spécialistes. Meumeu, précise Anaïs.

— Tu as bien dormi ma belle ?

— Tu faisais quoi maman ?

— Rien, rien.

J'ai un peu de mal à me concentrer. Je pense déjà à ce que je vais écrire ce soir, dans mon journal quotidien.

— Maman, j'ai faim

— Oui oui, ma chérie.

Je dois d'abord reprendre ce journal depuis le début, depuis le jour de mon arrivée. Le relire. Faire le point. Comprendre. Remonter le cours de ces quelques jours où j'ai joué ma vie.

À pile ou face.

13 jours plus tôt

2.

Veules-les-Roses, le 10 janvier 2016

C'est difficile de décrire l'instant.

Je vais essayer, pourtant. J'ai décidé d'écrire le journal d'une nouvelle vie. Ma nouvelle vie ! Elle commence donc aujourd'hui, le 10 janvier 2016, devant l'abreuvoir, à Veules-les-Roses.

À 9 h 11, très exactement.

Ma Panda blanche est garée en travers de la route, juste devant le bassin de quarante mètres sur cinq, à l'entrée de Veules. Le capot trempe presque dans les dix centimètres d'eau, comme le museau d'un animal venant à la source. Une petite vache. Un gros mouton. J'ai agi d'instinct, je me suis arrêtée là, j'ai bloqué le frein à main, je suis sortie, j'ai attrapé Anaïs à l'arrière, je n'ai pas fermé les portières.

Je pose Anaïs juste devant l'abreuvoir.

J'admire, le souffle coupé.

Devant nous, les colombages des chaumières, mélangés aux feuilles d'un bouleau, dansent dans le reflet du rectangle d'eau claire. Un paysage de conte de fées, hors du temps, hors la vie. Je me demande ce qu'Anaïs peut penser dans sa petite tête. Est-elle aussi sensible que moi au charme étrange du lieu ?

Le froid nous mord le visage, du menton aux oreilles. Un froid sec, un ciel gris, un vent sournois. Anaïs ne dit rien, elle se contente de souffler une petite buée de sa bouche rose.

Oui, c'est difficile de décrire l'instant.

Je suis partie de Nanterre à 6 heures du matin. Emportant tout, entassant le contenu de ma vie dans le coffre et le siège arrière d'une Panda. Y compris Adèle, dans son grand bocal de plexiglas, sagement posée sur les genoux d'Anaïs. Il faisait nuit noire. J'ai eu ensuite l'impression de rouler tout droit, plein nord, jusqu'au bout, jusqu'à ce que la route s'arrête, jusqu'au bord du monde, jusqu'à ce que la mer s'ouvre devant moi, entre deux falaises.

Ici.

Veules-les-Roses. Ce village perdu. Comme une oasis mythique aux confins des déserts urbains, oubliée des citadins nomades.

Il n'y a personne dehors. L'eau de la Veules semble hésiter entre stagner un peu dans le bassin, rester à jouer entre la mousse et les graviers, attendre une truite fario, ou passer sous le pont de grès pour rejoindre plus vite la mer. Indifférentes à l'indécision du courant, les chaumières tremblent dans l'eau froide. Anaïs grelotte aussi maintenant, elle me serre fort la main et se frotte contre mon pull. Je n'ai pas pris le temps d'enfiler mon manteau posé sur le siège passager.

C'est étrange, cette rue vide, abandonnée ; tous ces habitants calfeutrés, vaincus par l'hiver. J'ai un autre souvenir de Veules, un souvenir qui remonte à mon autre vie, lorsque j'étais venue avec Ruy, il y a cinq ans. Les rues de Veules étaient noires de monde. Une éphémère canicule était tombée sur la Côte d'Albâtre à la mi-août. Les touristes accouraient de partout, comme sortant de terre, comme les champignons après la pluie. Une foule joyeuse remontait les mille cinq cents mètres du circuit du plus petit fleuve de France, prenait les terrasses d'assaut. La plage de sable à marée basse n'avait jamais semblé aussi large. Impossible de compter les corps dénudés ; ni les voitures d'ailleurs, collées le long de la route de la falaise comme un immense et interminable serpent de fer multicolore.

À la tombée de la nuit, lorsque Veules s'était éteinte, quand le long serpent de fer avait rampé vers les terres, la ville, Rouen, Mantes, Paris, Ruy m'avait fait découvrir le village. Son village. Nous avions dîné aux Galets, puis nous avions remonté le cours de la Veules. Près de la source, aux cressonnières, il m'avait embrassée longuement. Nous étions seuls dans la pénombre. Cent mètres plus loin, Ruy s'était arrêté, juste ici, devant l'abreuvoir. Je tenais sa main, un peu perdue, comme Anaïs tient la mienne aujourd'hui. Ruy m'avait raconté l'histoire d'Anaïs Aubert, forcément. Anaïs Aubert était une des actrices les plus célèbres au début du dix-neuvième siècle. Selon la légende, elle aurait brusquement quitté la Comédie-Française, un soir d'été 1826, après la représentation. Elle aurait simplement dit au cocher, « *Allez droit devant, fouettez les chevaux. Tout droit, toujours tout droit. Sans vous arrêter.* » Au bout de sa fuite, Anaïs Aubert était parvenue ici, devant l'abreuvoir, la seule entrée de Veules à l'époque. Elle était tombée immédiatement amoureuse de ce village de pêcheurs. De retour à la Comédie-Française, elle avait révélé sa découverte au Tout-Paris. Les comédiens, les artistes accoururent. Une nouvelle station, Veules-en-Caux, était née... Restait une question, une seule, le grand mystère de Veules, jamais résolu. Les yeux de Ruy avaient brillé de malice juste avant de m'embrasser.

« *Pourquoi Anaïs Aubert a-t-elle quitté Paris ce soir-là ?* »

Ruy avait observé le halo jaune du réverbère se refléter dans l'eau noire de l'abreuvoir, m'avait tendrement entouré la taille avant de murmurer ces simples mots, si surprenants entre ses lèvres : « *Si un jour j'ai un enfant, une fille, elle s'appellera Anaïs. Ça n'est pas négociable, Ariane !* »

Anaïs me tire par la veste. Elle a froid. Elle a raison, je n'ai plus le temps de me perdre dans mes pensées. Je consulte ma montre. Il est déjà 9 h 15. J'ai rendez-vous dans un quart d'heure avec Xavier Poulain, l'agent immobilier. Il doit me donner les clés de ma boutique, enfin, de ma boutique... les clés de la ruine rue Victor-Hugo qui est censée devenir une boutique d'art et de charme, dès le printemps. Mes pensées s'envolent malgré moi. Je peine à repousser cette terrible frousse qui me bloque la gorge, cette conscience de plus en plus criante de mon inconscience : revenir ici, seule, avec une petite fille de trois ans, en plein hiver, ouvrir un commerce.

Je frictionne Anaïs pour la réchauffer. Pour me rassurer aussi. Je me retourne : les portières de la Panda sont restées ouvertes au bord de l'eau, comme un gros oiseau assoiffé.

— On y va à pied ma chérie. La maison est tout près.

— On prend Adèle ? demande Anaïs.

— Non, non, elle attend là.

Adèle s'en fout. Elle dort sur la banquette arrière dans son bocal. Adèle est une tortue d'eau. Il paraît qu'elle vivait déjà lorsque je suis née. C'est mon parrain, que je n'ai vu qu'une fois dans ma vie, qui me l'a offerte. Adèle a donc au moins vingt-cinq ans... On dit que les tortues d'eau vivent jusqu'à soixante ans. Elles peuvent ! Adèle ne fait rien d'autre de sa journée que manger des crevettes séchées et des morceaux de viande sur le rocher de sa bassine. Ou de son bocal, quand elle voyage.

— Bouge pas Adèle, fait Anaïs, on revient vite.

Anaïs aime bien Adèle, elle lui parle, elle la nourrit, elle se confie à elle, la caresse même, comme Meumeu, l'autruche violette. La carapace et la peluche ; ses deux seules amies.

Je ferme les portières de la Fiat Panda sans même la garer. Je vérifie le bonnet, les moufles, l'écharpe d'Anaïs.

— Tu vas voir, ma chérie, comme le village est joli !

Nous marchons sur le trottoir de la rue du Docteur-Pierre-Girard. Le village semble timidement se réveiller. Des gens plutôt âgés errent, des sacs de courses à la main. Un vent froid s'engouffre dans la rue. Les passants, emmitouflés, ne paraissent pas spécialement habitués au froid. Cela me rassure un peu.

— Ça sent la mer, me souffle Anaïs.

Elle me sourit, je ris. J'apprécie qu'elle ne se plaigne pas du climat. Derrière les maisons, on devine le claquement des vagues contre la digue de béton, à moins qu'il ne s'agisse des conduites forcées des moulins qui accélèrent le cours de la Veules en bruyantes cascades. Nous progressons. Le long de la rue Victor-Hugo, la plupart des maisons sont closes. Les villas se succèdent, rivalisant de fantaisie baroque, plus jolies encore que dans mes souvenirs d'été, sans doute à cause de la couleur des boiseries peintes, colombages, portes et volets, vert d'eau, orange, rouges.

— Regarde maman, on dirait une maison de princesse !

Résidence Douce France. Un château en plein cœur du village. Sous le porche de pierre, un immense lustre est suspendu entre deux rideaux d'opérette. Je me force à repousser les souvenirs du corps de Ruy dans la chambre mansardée de l'hôtel de charme, de sa peau cuivrée sous la lune, du petit-déjeuner romantique sous la pergola.

Je serre ma petite Anaïs très fort entre mes bras.

— Je t'aime, ma petite, tu verras, nous serons bien ici toutes les deux.

Le froid se faufile sous mes habits, s'incruste insidieusement. Le doute aussi. Suis-je aussi folle que cette Anaïs Aubert ? C'est étrange quand j'y pense, le destin de cette actrice il y a près de deux cents ans, si proche du mien : tout quitter, fuir Paris, pour échouer ici.

J'aperçois enfin sur la gauche l'enseigne de fer de l'agence immobilière : une vieille bâtisse en pierre, on y entre en baissant la tête, presque comme dans une grotte. Je pousse la lourde porte bleue.

La chaleur nous enveloppe comme un cocon rassurant.

3.

Veules-les-Roses, le 11 janvier 2016

Il est plus de minuit. Même si je suis debout depuis 5 heures du matin, je ne dors pas. Impossible de trouver le sommeil. Le déménagement, puis la route, puis l'emménagement composent dans mon crâne lessivé un cocktail d'angoisse et d'excitation. J'écris dans mon lit. Je rédige mon journal. Dans la pièce, les cartons sont abandonnés en vrac, un peu comme les idées dans ma tête. Dans un coin repose ce sentiment que je me suis comportée comme une gamine capricieuse, complètement dépassée par les événements, et que je ne m'en sortirai pas. Mais dans un autre, je découvre cette sensation d'être à ma place, enfin. De tenir mon destin entre mes mains, pour la première fois de ma vie.

Anaïs dort à l'étage. Sa maison de poupée, comme elle l'appelle, n'est pas bien grande. soixante-dix mètres carrés sur deux étages. Dire que ces quatre murs miteux et moisis vont devenir l'adresse la plus chic de la rue Victor-Hugo ! Et même, quand le village de Veules sera définitivement *honfleurisé*, ils feront ma fortune... Il suffit d'y croire ! D'un peu de chance, du savoir-faire de Gilbert Martineau, de l'argent que je n'ai pas... et de beaucoup d'imagination ! Une vieille Veulaise vivait ici avant moi, depuis quatre-vingts ans. Papier peint orange. Formica bleu. C'est habitable... en attendant mieux. Mes maigres économies doivent d'abord être dépensées dans l'aménagement de la boutique. Le confort de l'étage viendra ensuite.

Anaïs s'est effondrée comme une masse en pressant Meumeu dans ses bras. Nous sommes juste passées voir ses grands-parents, une visite de quelques minutes, Anaïs était trop fatiguée.

— À demain, ai-je promis.

Ils ont compris, ils comprennent tout. Élise a tenu à me laisser un plat à faire réchauffer, une barquette de bœuf en sauce, des carottes. Dans les cartons, j'ai mis la main sur mon micro-ondes et un peu de vaisselle.

Je suis épuisée. Je suis si heureuse. Lorsque je suis arrivée à la boutique avec Anaïs, les clés dans la main, Martineau était déjà là, la camionnette garée devant, à cheval sur le trottoir, le téléphone portable collé à l'oreille. Martineau m'a fait un topo rapide sur les soixante-dix mètres carrés. Trois mois de travaux minimum... Il établissait le devis au fur et à mesure avec sa calculette ! Il a bien vu que j'avais des idées précises de ce que je voulais, du goût, enfin, mon goût. L'alliance brique, fer, silex. Il souriait en se grattant le crâne, comme s'il cherchait à trouver les solutions les plus économiques. Mouais... Martineau n'a peut-être pas une tête de truand, mais je me doute que moi, j'ai une tête de Parisienne célibataire qui n'a pas d'autre choix que de lui faire confiance. Autant dire de mouette à plumer.

Posée sur le parquet, Adèle, dans son bocal de plastique, me regarde en clignant des yeux comme si elle se foutait de moi. Elle ouvre la bouche et me menace de ses petites dents dérisoires. Le voyage a dû la chambouler, elle aussi. Anaïs a passé les trois heures de route à lui raconter des histoires, à lui faire comprendre qu'on déménageait pour aller habiter à côté de la mer.

L'excitation ne retombe pas, comme si j'avais avalé un litre de café. Tout à l'heure, lorsque Martineau est reparti, je me suis rendue au bord de la mer avec Anaïs. Elle ne l'avait vue qu'à deux occasions, une fois à Deauville et une autre à Boulogne, à travers les vitres de Nausicaá. Anaïs a observé avec fascination cette rivière qui sort d'un gros tube de pierre et se vide sur la plage. Elle me parlait des gros oiseaux blancs mais je ne l'écoutais pas, la plage de Veules me rappelait les caresses de Ruy, un bain de minuit sous la canicule. Mon amour, mon histoire.

Il me faut la raconter, la coucher sur le papier, c'est le moment.

Quitte à ne pas dormir...

Il y a moins de sept ans, j'étais étudiante, comme des milliers de filles de mon âge. J'avais claqué la porte de mes parents divorcés, famille recomposée, dispersée entre la Bretagne et Annecy. Je m'étais inscrite en histoire de l'art, boursière et colocataire pour deux cent cinquante euros par mois. J'ai rencontré Ruy dans une soirée étudiante, sur les quais de Rouen. Il suivait une formation en musicologie, beau, brun, rasé au petit bonheur, guitariste, saxophoniste aussi, un djembé coincé en permanence entre les cuisses... Artiste.

Il devait sans doute penser la même chose de moi. Au moins, je veux le croire. Les garçons me tournaient autour à l'époque. Pas seulement à cause de mon talent pour le dessin, de mon imagination à peindre sur n'importe quel support, y compris sur les plinthes des apparts des copains. Petits tags domestiques, ma spécialité. J'attirais surtout les garçons avec mon petit air de fille nature, du genre à croquer la vie, sans chichis, sans artifices. Il y a des milieux où cela séduit, la sincérité, la simplicité, davantage que le fric. Cela aussi, je veux le croire.

La suite est une jolie histoire comme les bancs d'amphis savent les inventer. Les soirées entre potes, les joints, les bières, le monde fait et refait, tourné et retourné, les nuits presque blanches, blanc cassé, les examens passés ric-rac le lendemain. Bref, toutes ces années estudiantines où la fac sert de garderie pour jeunes adultes, de fabrique d'espoir, de souvenirs et d'amis pour ensuite, comme une réserve qu'on se garde pour le grand hiver. Le reste de la vie ! Le problème, c'est qu'on ne le comprend qu'après.

J'étais de moins en moins colocataire et de plus en plus chez Ruy. Ma coloc, Céline, faisait la gueule, énervée par mon petit bonheur, et sentant bien qu'elle devrait bientôt payer le loyer seule.

Nous étions en couple depuis dix-huit mois lorsqu'un vendredi d'août, Ruy m'a emmenée à Veules-les-Roses, son village natal. Immédiatement, j'en suis tombée amoureuse. Oui amoureuse, c'est le mot juste. La rencontre fut aussi évidente que le désir qui me fit succomber à Ruy. Veules et Ruy, indissociables : même charme discret, secret, presque timide ; même côté artiste. Ruy me sortit le grand jeu, le restaurant des Galets (l'un des meilleurs de la région paraît-il, je l'ai su bien plus tard), la chambre mansardée à la résidence Douce France, le circuit de la Veules dont je n'ai rien vu tant je l'embrassais, le bain de minuit, et le lendemain, parce que ce n'était pas possible autrement, un court passage, juste le café, chez ses parents, rue Mélingue.

Nous y sommes restés trois heures ! Élise et Angelo tenaient eux aussi leur place dans le tableau dont je tombais amoureuse. Adorables. Aimants. Originaux. En retour, je suis persuadée que moi aussi, je les ai séduits. Ruy était terriblement gêné. J'étais la première fille qu'il présentait à ses parents. Je lui avais un peu forcé la main. Élise et Angelo formaient un couple soudé, cela crevait les yeux. La famille que je n'ai jamais eue.

Tout bascula le mois suivant.

La pilule oubliée, les règles qu'on attend, l'annonce à Ruy.

Jamais, pas la moindre seconde, je n'ai pensé à avorter. Mon Dieu, comment imaginer faire disparaître un enfant de Ruy ? Un bébé qui porterait les gènes de son talent et de sa beauté. Ruy, je ne l'avais pas encore compris, était gentil, fin, sensible, mais... comment le dire sans être méchante. Velléitaire, quelque chose comme cela. Il a lu le bonheur dans mes yeux et il n'a pas voulu le gâcher. Pour lui, le fils unique d'un couple uni, la famille devait représenter une sorte de cercle sacré. Il voulait essayer, à l'image de ses parents, de tracer son propre cercle autour de lui, quelque chose comme cela. Oui, je suis persuadée qu'il a voulu essayer. Sincèrement. Mais Ruy n'était pas capable d'affronter la réalité. Il rata tous ses examens de Master. Une légère dépression, une angoisse, appelez ça comme vous voudrez. Pendant ma grossesse, nous sommes retournés à Veules, rue Mélingue, plusieurs fois. Élise et Angelo se montrèrent compréhensifs, attentionnés, trop même quand j'y repense, comme un médecin qui cache à son patient une maladie incurable d'une voix trop douce, comme s'ils devinaient déjà la suite de l'histoire ; comme si la transformation de leur fils bohème en père modèle, au fond, ils n'y croyaient pas.

Lorsque Anaïs a eu trois mois, soixante-treize jours très précisément, Ruy est parti. Sans explication. Il m'a juste laissé un livre de Pagnol, *Marius*.

32

Je ne suis pas idiote, j'avais compris, j'avais compris avant. Toujours amoureuse, mais pas complètement conne !

Hein, Ruy, malgré tout ton talent, ton génie, ce n'était pas la plus classe de tes idées, le bouquin de Pagnol.

Toi, Marius, l'appel du large ; moi Fanny. Au port avec les couches.

Je crois que Ruy vit à New York. C'est ce que des amis m'ont dit la dernière fois. Ou Dakar ? Je ne cherche pas, je ne cherche plus.

Vous comprenez, les couches. L'amoureuse coincée au port.

La vie n'est pas un roman, Ruy. Fallait que je bosse. Du jour au lendemain, pschitt ! terminé les études d'histoire de l'art, les rêves de Normale sup ou d'école Boulle. Direction Paris, le premier boulot que j'ai trouvé, à la Défense, en compagnie de trois cent mille autres salariés dans le même RER, matin et soir : vendeuse à Decathlon, embauchée pour essayer d'écouler du matériel de sports que je n'avais jamais pratiqués. Golf, tennis, ski, VTT.

Mon chef avait le même âge que moi, juste un peu plus de baratin.

— T'es mignonne, t'as des diplômes. T'apprendras vite.

Pour le reste, le film s'est accéléré. Un HLM à Nanterre, au quatrième ; une crèche de quartier qui ferme à 18 h 30. Pas après. Je m'épuisais dans une course quotidienne, comme un contraste avec les années fac, comme si le passage à l'âge adulte, c'était sauter d'une falaise. Une punition, un crime à expier. Une voix sournoise me glissait dans la tête : « Tu as bien fait, ma belle, d'emmagasiner des réserves de rêves. » Je tenais pour Anaïs, je tenais grâce à Anaïs. Rien que pour elle. Je suivais encore Ruy par copains interposés.

Sydney. Rio. Vancouver.

Et puis, petit à petit, cette idée a grandi dans ma tête, chaque fois que je traînais Anaïs et sa toux sans fin entre les pots d'échappement de la grande banlieue, chaque fois que les boîtes de crevettes vides d'Adèle cognaient quatre étages dans le vide-ordures, chaque fois que je griffonnais un bout de dessin sur un morceau de papier.

Veules-les-Roses.

Mon stock de rêves accumulés en fac s'épuisait. La voix sournoise se moquait. « Jamais tu ne passeras l'hiver, ma pauvre Ariane. »

Une seule issue. Cette idée folle, emboîter ensemble le peu qu'il me restait : mes études d'histoire de l'art, mon talent supposé, les grands-parents d'Anaïs à Veules-les-Roses, ce village de conte de fées au bord de la mer. J'ai formé avec toutes ces pièces un puzzle improbable...

Il y a deux mois, j'ai pris la décision.

Tout plaquer !

Fuir à Veules.

Acheter une boutique, un pas-de-porte.

Tenter ma chance, peindre.

J'ai vidé l'appartement, j'ai tout entassé dans ma Panda blanche, laissant juste la place pour Anaïs et Adèle. Et je suis partie... C'était ce matin, à 6 heures. Maintenant, je peux m'effondrer. Épuisée. Je peux dormir.

Je suis bien.

À l'exception de cette impression étrange, depuis tout à l'heure, depuis cet après-midi, depuis que Martineau m'a laissée.

Une drôle de sensation, un peu irréelle.

Quelqu'un m'espionne. Ici. Chez moi.

4.

Ce soir, je dîne chez mes beaux-parents. Anaïs, qui est arrivée bougonne parce qu'elle voulait emmener Adèle, retrouve immédiatement le sourire devant les cadeaux qui l'attendent sur la table du salon : un livre de poésie, des pastels, un carnet de dessin... Tout le nécessaire de l'artiste en herbe. À défaut de connaître leur petite-fille, Angelo et Élise la devinent.

Le repas est délicieux, la conversation tout autant. Nous évitons de parler de Ruy. De toute façon, Anaïs monopolise l'attention, Angelo est ravi de lui expliquer les trésors de Veules, les huîtres, les truites, le cresson... Après avoir posé le fromage sur la table, Élise prend timidement la parole et lance d'une traite :

— Si vous voulez, Ariane, dans la journée, pour que vous puissiez travailler, je peux garder Anaïs.

Comme si elle avait deviné ce que je n'osais pas demander.

J'accepte. D'abord parce que je suis flattée qu'ils considèrent que peindre sur des écorces, des galets, ou des vieilles planches de portes, c'est un travail. Et toc, Martineau ! Ensuite parce que c'est vrai, c'est un travail de titan qui m'attend, je ne dispose que de quatre mois pour me constituer un fonds de commerce, pour accumuler toutes sortes d'objets d'art avant l'ouverture de la boutique. Impossible avec Anaïs dans les jambes toute la journée ! Sans parler des travaux, de la poussière.

— Vous savez, ajoute Élise. Je suis nourrice. Je l'ai toujours été, comme ma mère. Nous sommes nounous de mère en fille, depuis des générations. Je garde Clémence, une petite qui a un mois de plus qu'Anaïs, et Paul, une crapule de deux ans. Cela fera du bien à Anaïs, et elle les retrouvera à la maternelle l'année prochaine.

Cette ingrate d'Anaïs bat déjà des mains.

— Je pourrai emmener Adèle ?

— Qui est Adèle, mon chou ?

Tout le monde rit. On passe au salon. Par la fenêtre, la vue sur la Veules est somptueuse. Je me sens presque en famille. Le temps de ce bref instant, je suis persuadée d'avoir fait le bon choix en revenant ici.

Élise débarrasse. Angelo me rassure.

— Je connais bien Gilbert Martineau, je suis certain qu'il va passer son temps à vous dire que vous êtes folle, que jamais personne ne vous achètera les trucs bizarres que vous peignez. Sauf qu'il n'y connaît rien ! C'est son business, les commerces à rénover qui ouvrent en mai et qui ferment en septembre. Mais vous ma petite, vous n'êtes pas comme les autres, vous êtes douée. Veules, c'est dur l'hiver, mais dès que le beau temps reviendra, vous verrez, les estivants vont vous adorer.

Merci ! Merci Angelo.

Pendant ce temps, Anaïs déménage le salon, fouille dans la bibliothèque, sort des livres et des albums.

— Non, Anaïs.

— Laissez, laissez...

Anaïs étale sur le tapis des livres illustrés, des fascicules jaunis sur l'histoire locale, une collection de vieux albums en noir et blanc. Je déchiffre des noms qui défilent sur les couvertures. *Jules Truffier, Paul Meurice, les frères Goncourt, Jules Michelet, Victor Hugo, Mélingue*... et bien sûr, *Anaïs Aubert*.

Anaïs me sidère de s'intéresser à cela ! La chipie, comme si elle connaissait déjà toutes les ficelles pour charmer son grand-père. Elle grimpe sur ses genoux, une brochure à la main.

— C'est qui la belle dame ?

— Anaïs Aubert, une actrice. C'est elle qui a découvert le...

— Elle s'appelle comme moi, papy !

Angelo sourit. Il ne peut s'empêcher de raconter l'histoire de l'actrice, sa course folle, son arrivée à Veules au pied de l'abreuvoir. Je profite de l'occasion :

— Depuis le temps, a-t-on découvert pourquoi cette actrice avait fui Paris ?

Angelo se frotte la barbe.

— Oh non ! Le mystère reste entier. Pour encore longtemps je pense... Selon moi les historiens sérieux ont autre chose à faire que de se pencher sur une telle histoire.

Anaïs, tout en continuant de feuilleter le livre, interrompt encore son grand-père.

— Et c'est qui, le vieux monsieur avec la grande barbe ?

— Victor Hugo. Un écrivain. Comment t'expliquer... Ah oui, tu connais le bossu de Notre-Dame ?

Papy enchaîne, autant pour sa petite-fille que pour moi. L'amour de Victor Hugo pour Veules-les-Roses. Ses séjours dans la station chez son meilleur ami, Paul Meurice, de 1879 à 1884, juste avant sa mort. Le grand banquet qu'il organisa pour tous les enfants de Veules, en 1882.

— Tiens, Anaïs, regarde.

Je m'approche. Je veux profiter aussi.

J'ai à peine le temps d'apercevoir une grande photographie en noir et banc, des dizaines d'enfants debout dans une cour et le vieil Hugo qui pose au milieu. Angelo referme brusquement le livre. Une brève seconde, son attitude de papy attendri se fige en masque de panique.

Une seconde seulement.

Élise surgit dans la pièce, portant avec précaution un plateau de thé chaud.

J'ai rêvé.

Sauf qu'Angelo continue de tenir le livre fermé. Anaïs saute de ses genoux, mais son grand-père demeure immobile, la brochure coincée sous son bras.

J'ai la certitude qu'il me cache quelque chose !

La seconde d'après, en soufflant sur mon thé, je peste contre ma stupidité. Que pourrait bien dissimuler un vieux livre de photographies, un cliché qui remonte à près de cent cinquante ans ?

Ridicule ! Dans une minute, je n'y penserai plus.

Raté ! J'y pense encore, ce soir.

Sur le moment, j'ai mémorisé le titre *Les Promeneurs de Veules*, édité par l'Association pour la sauvegarde du patrimoine veulais. J'irai à la bibliothèque de Veules, près de la mairie. Ils en ont forcément un exemplaire.

★★★

Nous traversons à nouveau le village, dans la nuit. Des versants de la falaise, on ne distingue plus que les fenêtres éclairées des villas, comme autant de lucarnes déguisées en ciel étoilé. Anaïs est tout excitée à l'idée d'aller passer ses journées chez papy et mamy, avec d'autres enfants de son âge. Elle veut tout raconter à Adèle, alors que la pauvre tortue ouvre de petits yeux fendus et penche la tête d'un air las, comme si c'était elle qui sortait d'un repas gastronomique.

— Au lit, ma puce ! Tu lui raconteras tout cela demain.

Si j'avais su...

Juste au moment de fermer la porte de la chambre d'Anaïs, je ressens à nouveau cette étrange et tenace impression : quelqu'un m'observe !

Quelqu'un regarde dans mon dos, me suit à travers les pièces.

Idiote !

Je repousse la porte doucement.

Je me parle toute seule dans le couloir froid.

Ma jolie, si tu veux tenir tout l'hiver seule dans ce taudis, il ne va pas falloir que tu laisses trop courir ton imagination.

5.

Depuis ce matin, comme une bêtasse, au lieu de travailler sur mes peintures, je recherche sur Internet des renseignements sur cette fameuse Anaïs Aubert. Martineau s'active à côté en sifflant les airs qui grésillent de son transistor calé sur Nostalgie. *L'Été indien* succède à *La Maladie d'amour*.

Les nuages ont fui devant la marée et un carré de ciel bleu inonde mon carré de verdure, trois mètres sur trois, derrière ma maison. Au bout du mur du jardin, une petite porte en bois donne directement sur le chemin des Pucheux, une autre de ces adorables attractions du village. Des maisons basses de pêcheurs longent le petit fleuve, exposant aux passants, derrière les fenêtres basses, dentelles et bibelots. Le cours du fleuve est compliqué de ponts miniatures, d'écluses de poupées, de microcascades. Devant chaque maison, trois marches et un embarcadère laissent presque imaginer qu'on pourrait y attendre le passage des gondoles.

Adèle profite du soleil et bronze dans son bocal. Il faut que je pense à lui trouver une bassine ou n'importe quoi d'autre, mais plus grand. Aujourd'hui, Anaïs passe sa première journée chez ses grands-parents. Je résiste à l'envie de l'appeler toutes les heures. Je m'en veux de ne pas utiliser ce temps disponible pour avancer, pour peindre.

Curiosité contre culpabilité.

Juste dix minutes, me suis-je dit. Pas plus. Ensuite, au boulot ! Mon vieil ordinateur portable est connecté grâce au 3G de mon téléphone. J'ai d'abord recherché cette photographie du banquet des enfants de Veules offert par Victor Hugo. Peine perdue ! Je n'ai rien trouvé sur le Net : certains articles évoquent bien ce repas avec le vieil homme en 1882, mais je n'y trouve aucune photo, du moins, pas celle que je cherche, celle que j'ai entrevue hier soir.

Martineau siffle *Les Neiges du Kilimandjaro*. C'est insupportable ! Je pousse la porte du bout du pied et, sur l'écran de mon portable, je glisse la flèche sur « Ma musique ». Un dossier par artiste. Brassens. Fersen. Thiéfaine. Sanseverino.

Thiéfaine !

Je clique.

Dernière station avant l'autoroute, bien entendu.

Plus qu'une chanson, ces quatre lignes de mélodie composent un hymne, hurlé tant de fois avec Ruy, en solo, en duo, à vingt dans un studio, à trois mille au concert de La Courneuve.

L'inimitable voix de Thiéfaine grésille dans les enceintes de mon ordinateur :

> *On s'est aimé dans les maïs.*
> *T'en souviens-tu, mon Anaïs ?*
> *Le ciel était couleur d'opium*
> *Et l'on mâchait le même chewing-gum.*

Hé Martineau, voilà un classique qui ne passe pas sur Nostalgie !

Thiéfaine braille en boucle pendant que je liste les sites où l'on évoque Anaïs Aubert. Je peste. Systématiquement, lorsque je tape *Anaïs Aubert* sur un moteur de recherches, je suis renvoyée à la même information : la découverte de Veules-les-Roses ! À croire que cette actrice n'a jamais rien fait d'autre de sa vie que de découvrir ce village. Comme si les Veulais l'avaient inventée de toutes pièces, leur égérie. Enfin, j'exagère un peu. Au fil des lignes, j'apprends qu'Anaïs Aubert était petite, menue, adorable, jouait principalement les rôles de soubrettes, de chérubins, de travestis. Mlle Anaïs, comme on l'appelait, avait séduit le Tout-Paris au début du dix-neuvième siècle.

Curiosité.

Culpabilité.

Après la dernière station avant l'autoroute, Thiéfaine a rencontré la fille du coupeur de joints.

Mon ordinateur se déconnecte une nouvelle fois. Je soupire avec résignation, j'ai conscience qu'arriver à capter un signal dans ma ruine du bout du monde tient déjà du miracle. Je profite néanmoins de l'occasion. J'éteins l'appareil.

Il ne me reste que trois heures avant d'aller chercher mon Anaïs.

***

— Adèle, Adèle !

Je hurle presque.

Martineau était déjà parti quand je suis rentrée de chez Élise et Angelo.

— Adèle, Adèle !

Anaïs hurle aussi.

Adèle ne peut pas nous entendre, ma pauvre.

Le bocal de plexiglas est renversé dans l'herbe. La porte au fond du jardinet est entrouverte.

J'avance dans la cour. Inspirée par une lugubre prémonition, je passe la première.

Adèle est là, juste derrière la porte. Elle ne vivra pas soixante ans.

La tortue gît devant moi, la carapace écrasée en une bouillie gluante, au milieu du chemin des Pucheux. J'ignorais qu'on pouvait briser une carapace. Je passe la main devant les yeux d'Anaïs, la presse contre moi. Mes pensées s'affolent.

Qu'a-t-il pu se passer ?

Un animal errant, un chien, un chat, qui saute le mur ou qui pousse la porte du jardin, qui renverse le bocal... Qui brise la carapace ? C'est ridicule !

Anaïs se débat dans mes bras, suffoque.

46

Ou un enfant sadique qui a profité de mon départ pour s'acharner sur la tortue de la Parisienne ? Un jeu idiot ?

Anaïs me frappe de ses petits poings. Elle était si heureuse de sa journée chez sa grand-mère. Les dessins qu'elle m'a fièrement offerts sont éparpillés dans le jardin et s'envolent comme des papiers gras.

C'est insensé. Un chien errant aurait-il pu s'introduire, Adèle s'enfuir, une moto passer sur le chemin ? Une moto peut-elle briser une carapace ? Un tel concours de circonstances peut-il réellement se produire ?

Anaïs s'effondre comme une poupée de paille.

On ne porte pas plainte pour une tortue. On ne porte pas le deuil d'une tortue.

Je ne réfléchis plus.

Je traîne Anaïs, nous rentrons dans la maison. Maintenant, elle serre Meumeu dans ses bras. Elle va l'étouffer.

Je ne contrôle plus rien.

Encore moins ce sentiment obsédant, cette certitude inexplicable.

Quelqu'un nous regarde pleurer !

6.

Veules-les-Roses, le 14 janvier 2016

Petit à petit, Anaïs se console.

Depuis ce matin, je peins des tortues sur une série de vieilles planches de volets en chêne. C'est Anaïs qui me l'a demandé avant que je l'emmène chez Élise.

Pour Adèle, j'ai posé la question à Martineau : a-t-il remarqué quelque chose avant de partir ? Il ne sait rien. Il se fout de ma tortue à vrai dire. Je lui ai également expliqué cette sensation d'être espionnée en permanence. Il a haussé les épaules. Il doit me prendre pour une folle. Une originale, au moins. Il m'a demandé d'un air rigolard pourquoi je peignais des grosses huîtres.

Il a de la chance d'avoir des doigts en or, ce connard d'artisan !

★★★

Je marche dans Veules. On va dire que je cherche l'inspiration. En réalité, j'ai décidé de me rendre à la bibliothèque, juste avant de récupérer Anaïs. Traverser le village ne prend que quelques minutes. Un vieux grimoire en fer forgé suspendu au mur de grès confirme que la somptueuse longère abrite la bibliothèque du village. Une ancienne maison de tisserands, indique un panneau à destination des touristes. Avant de pousser la porte, je me laisse une nouvelle fois envoûter par la beauté du site : le carrefour est bordé de villas à l'étrange charme sévère et impudique, comme si elles hésitaient entre exposer ou dissimuler aux passants leurs fantaisies torturées ; la cour de la mairie se devine un peu plus loin ; la bibliothèque est noyée dans un grand parc arboré.

J'entre. Derrière un bureau impeccablement rangé, une femme au chignon tout aussi ordonné m'accueille. Elle me dévisage d'un regard qui signifie : « *Ah, c'est vous la timbrée de la maison en ruine qui peint des trucs pour les vendre aux Parisiens* »...

Les nouvelles vont vite.

Dans le rayon « vie locale », je n'ai eu aucun mal à dénicher le fascicule aperçu entre les mains d'Angelo, *Les Promeneurs de Veules*. Ils possèdent toute la collection, une dizaine de brochures. J'ouvre le cahier, fébrile, je consulte le sommaire, Hugo et son banquet, 24 septembre 1882. Page 42.

Les pages tournent.

38, 39, 40, 41...

Mon Dieu !
Il n'y a pas de page 42. La feuille est déchirée...

À l'accueil, la femme au chignon a l'air étonnée.
Pas scandalisée, mais en colère juste ce qu'il faut
pour sembler sincère.

— Je... Je ne comprends pas. C'est étrange, ces
vieilles brochures sortent très peu, mais on ne peut
pas tout vérifier. Les gens sont tellement sans-
gêne. Vous voulez l'emprunter tout de même ?

***

Je presse l'allure en contournant la tour carrée
de l'église Saint-Martin pour retourner rue
Mélingue.

Anaïs m'attend.

Tout en progressant à pas rapides, je me force
à nouveau à penser qu'il n'y a là rien d'extraordinaire, qu'il ne s'agit que d'une série de détails
sans importance. La page manquante d'un livre.
Une tortue qui s'échappe. L'impression qu'on
m'espionne. Un instant, je perçois dans l'ombre
des villas de Veules la menace d'un village hanté
dans lequel je me serais fait piéger. Je ne suis
qu'une étrangère que l'on a attirée là. Une victime
sans défense, seule, que l'on s'amuse à torturer.
Avant... Avant quoi ?

Pur délire !

Je dois me raisonner, il faut que je pense
à Anaïs, il faut que je pense à ma boutique.

Il faut que je tienne le coup.

7.

Le front de mer de Veules-les-Roses est laid. C'est d'ailleurs le seul endroit laid de Veules : le bord de la plage ! Sur les cartes postales du village, on le cache, comme un détail physique ingrat. Je vous l'accorde, « laid » est un jugement de valeur. Il faudrait écrire que le front de mer de Veules-les-Roses a été reconstruit, après-guerre. Vite fait !

Il paraît que Veules-les-Roses a postulé pour être classé parmi les plus beaux villages de France, mais qu'il a été recalé parce que son bord de mer n'était pas à la hauteur du reste. Vous vous rendez compte, un fiasco pour toute la commune juste à cause de ces trois maisons moches, pile face à la Manche, plus l'ancien casino. Trois maisons sur combien ? Trois cents ? Cinq cents ? En plus, il doit exister comme un goût de revanche chez les habitants de ces pavillons de banlieue, installés au premier rang, qui gâchent la vue des villas sublimes tout autour, ces demeures d'exception qui se négocient à quelques millions d'euros dans les agences immobilières parisiennes. Le paradoxe est même amusant : la plus belle vue du village, la seule où le panorama n'est pas abîmé par ces verrues, c'est lorsqu'on les habite.

Pour le reste, j'adore Veules !

De plus en plus.

Je ne me lasse pas des longues promenades que je partage avec Anaïs, sur l'estran à marée basse, au moment où le soleil se couche derrière les falaises ; au matin, dans la brume des cressonnières. Mais celles qu'Anaïs préfère, ce sont celles à flanc de bois le long des Champs-Élysées. J'ai appris que le sentier s'appelle ainsi parce qu'un certain père Élysée habitait là, il y a deux siècles. Les Parisiens trouvèrent cela amusant. Le long du chemin, Anaïs m'arrête à chaque moulin, à chaque canard qui chahute dans la Veules, à chaque oiseau qui s'envole. Ma petite curieuse adore regarder par-dessus les murets des jardins. Je l'attends. Il faut s'asseoir sur chaque banc, cinq minutes, avec elle. Comme dans la chanson.

Les Veulais commencent à me reconnaître. Il y a les habitués. Je me suis presque fait une amie, Claire, la fille de la crêperie La Marine, rue Victor-Hugo, à quelques mètres de ma boutique. J'y suis passée trois fois prendre un café. Claire doit avoir mon âge et m'a déjà commandé une dizaine de natures mortes pour décorer son restaurant. « Solidaires », a-t-elle ri en se crochetant les doigts ! Je croise aussi régulièrement le vieux paralysé, un plaid écossais sur les cuisses, poussé par son infirmière. Il habite dans la villa Marjolaine. Claire m'a raconté que sa famille a fait fortune au début du vingtième siècle dans le commerce de plumes d'autruches. Angelo a confirmé. On croise d'étranges figures, à Veules. Peu, mais qui valent le détour.

Souvent, Anaïs joue sur la digue de bois. Elle dispose d'un parc de jeux pour elle toute seule, toboggans géants, ponts de singe et bacs à sable. Elle saute dans les flaques de la pataugeoire, vide et sale, comme enrhumée jusqu'à l'attente des beaux jours.

Oui, j'adore ce village en plein hiver. Ce labyrinthe qui hiberne. Cet étrange microcosme.

Tout le monde se connaît, presque personne ne se parle.

8.

Veules-les-Roses, le 19 janvier 2016

Cet après-midi, j'ai fait une rencontre étonnante.
Je me tiens debout sur la grande terrasse de bois posée sur pilotis qui s'avance au-dessus de la plage et de la Veules. L'estacade, comme ils l'appellent ici. C'est marée montante mais on devine encore un peu de sable entre les galets. Au loin, le tracteur d'un ostréiculteur remonte vers le parking. Je reste souvent là de longues minutes, à chercher l'inspiration dans les falaises blanc et ocre, comme une immense cascade de pierres qui se jetterait dans la mer jusqu'à l'infini. Un petit rayon de soleil me donne envie de libérer de ma casquette mes cheveux blonds, que le fort vent d'ouest s'empressera de décoiffer. Se tourner vers le vent suffit pour comprendre pourquoi les plus belles villas sont bâties sur le versant ouest de la falaise. Protégées !

Les autres furent construites ensuite, là où il restait de la place.

Le vent fait claquer les quatre drapeaux en haut de leur hampe. La balançoire du parc de jeux désert bouge toute seule, comme si un invisible fantôme d'enfant s'y amusait.

L'homme sort de l'eau dans une combinaison noir, rouge et vert fluo. Ruisselant.

L'homme, c'est Alexandre.

Alexandre n'est plus très jeune. La bonne quarantaine, je dirais. Mais lorsqu'il s'est extrait de sa seconde peau de néoprène pour offrir ses pectoraux à la bise glaciale, je n'ai pas pu m'empêcher de laisser traîner le regard. La fermeture Éclair s'est ouverte jusqu'au bas du ventre, laissant deviner une petite touffe de poils blanchis juste ce qu'il faut. L'effet était savamment maîtrisé par Alexandre, je l'ai compris par la suite.

Alexandre s'avance pieds nus sur les galets avec une décontraction qui, croyez-moi, nécessite des années d'entraînement. Même pas, d'ailleurs. Qui nécessite d'être né ici, tout simplement. Chez les Veulais, il existe sans doute une évolution darwinienne du durcissement de la plante des pieds. Alexandre laisse sur place sa planche à voile rouge, décorée d'un casque de Viking couleur or, semblant se foutre de la houle. Il ébouriffe ses cheveux et me lance un beau sourire.

— Vous êtes Ariane ? L'artiste ? La belle-fille d'Élise et Angelo ?

Devant mes yeux stupéfaits dans l'ombre de ma casquette de velours, mes mains gantées frigorifiées, ce type quasi nu qui sort de l'eau glacée continue :

— Vous vous demandez comment je vous connais ? Ce n'est pas difficile, on ne parle que de vous dans le village. Vous pensez. La jolie Parisienne, celle qui a mis le grappin sur Ruy.

— Ah…

Il rit, se hisse sur la digue à la force des bras. Il se tient à moins de trois mètres de moi. Ses pieds laissent des traces mouillées sur le bois exotique de l'estacade.

— On prend même les paris dans votre dos. Tiendra, tiendra pas, la Parisienne. Passera l'hiver, passera l'été, passera Noël…

Je ris à mon tour. Il me plaît bien, ce dragueur surgi du fond de l'onde. Je réplique :

— Et vous, vous pensez quoi ?

Six pas mouillés sur les planches de bois. Son torse dégouline presque sur mes bottes. J'ai le nez dans les poils blancs de sa poitrine.

— Qu'ils ont sacrément raison, quand ils racontent que la Parisienne est jolie !

Et toc !

Je ris. Je ne me souviens pas de la dernière fois où un homme a cherché à me séduire. Regardée, oui mon Dieu, à la Défense, mille fois par jour. Observée, évaluée, touchée, par des milliers de silhouettes pressées et anonymes. Mais abordée, en revanche…

Alexandre m'a proposé un café, au Victor Hugo, l'immense et moche restaurant au-dessus de la plage. J'ai regardé ma montre. Je devais aller chercher Anaïs quinze minutes plus tard, à deux pas. J'ai eu vingt minutes de retard. Pour la première fois !

Ce n'est pas qu'Alexandre me plaise, oh non. Vingt ans de trop, le bellâtre. Trop dragueur, également, trop démonstratif. À peu près tout l'inverse du garçon dont je pourrais tomber amoureuse. Mais Alexandre est un agréable compagnon de, disons… de conversation. J'ai volontairement préféré écrire le mot « conversation » à celui de « dialogue », parce que côté drague, Alexandre n'a pas vraiment appris à laisser parler les filles et à faire semblant de les écouter. Alexandre est veulais, de naissance, de sang… jusqu'à la voûte plantaire ! Sa femme travaille au pôle de développement touristique de Dieppe. Lui combine les métiers de moniteur de voile l'été et de musicien le week-end. Il loue ses services pour les estivants qui se marient dans leur villa, qui baptisent le petit, communient le grand. Il entretient aussi les jardins, pousse la tondeuse à la place des vacanciers, taille les roses. Les temps sont durs pour les fils du vent. Il me dévore de ses pupilles bleu ciel sans cesser de parler. Il semble beaucoup s'amuser. Beaucoup inventer aussi. Je ne le crois que sur une chose, qui crève les yeux. Il connaît Veules, son histoire et ses habitants, comme sa poche. Celle dans laquelle il n'a pas la langue.

9.

Veules-les-Roses, le 22 janvier 2016

Lorsque je récupère Anaïs chez Élise, à 17 heures, cette chipie me fait remarquer que je suis à l'heure… aujourd'hui ! Nous rentrons avec Anaïs, passage obligé par la mer, les flaques de la pataugeoire, le plastique froid du toboggan, puis cache-cache dans le dédale des rues quasi piétonnes, rue Anaïs-Aubert, rue de la Mer, cavée Saint-Nicolas.

***

Anaïs goûte sur la table de la salle à manger : une planche sciée par Martineau posée sur deux tréteaux. Intarissable, elle me raconte sa journée. Anaïs m'étonne chaque jour par son talent à raconter des histoires fabuleuses, à inventer des paroles de chansons, à les illustrer de dessins délirants. Parfois, je me persuade que posséder un tel talent est incroyable, pour son âge. D'autres fois, je me raisonne : chaque mère doit voir en sa fille une surdouée.

Mouais…

Sauf que pour Anaïs, croyez-moi ou non, c'est le cas !

***

Sur la planche, Anaïs joue avec ses pastels, mélange les couleurs. Elle peint toutes sortes d'animaux. Jamais des tortues. Jamais elle n'a reparlé d'Adèle. Pauvre petite.

Martineau a pris le temps de se pencher par-dessus l'épaule de ma fille et de lui glisser que ce qu'elle dessine est très joli. Ça l'a rendue fière comme une puce, mon Anaïs. Dire que ce goujat de Martineau, qui passe ses journées dans la pièce d'à côté, avec son sourire en coin et les rengaines de la légende de Nostalgie, ne m'a jamais adressé le moindre compliment sur mes œuvres. Il n'y a que deux explications : soit c'est de la timidité… soit ce que je peins est vraiment nul.

***

Au bain !

Anaïs aime bien traîner dans la vieille baignoire sabot. Encore une antiquité à changer plus tard… Pendant qu'Anaïs trempe, je prépare le repas dans la pièce d'à côté. Martineau est rentré chez lui depuis plus d'une heure.

C'est à ce moment précis que j'ai entendu Anaïs chanter.

> *Sur les bords de la Veules*
> *Belle saison*
> *Du poisson, du cresson*
> *Et des roses à foison*
> *Vive la pomme et la chanson*

— Qu'est-ce que tu chantes, ma chérie ?

> *On y voit la Veulaise*
> *En négligé*
> *Aller vendre au marché,*
> *Maint produit maraîcher*
> *Vive la pêche et le péché*

Je me tiens debout dans la salle de bains. Anaïs me tourne le dos, concentrée sur les paroles qu'elle fredonne.

> *Vite un baiser la belle,*
> *Il s'écriera*
> *Bien vite il le prendra*
> *Et le compte y sera*
> *Vive l'amour et le lilas*

— Qui t'a appris cette chanson ma puce ?

> *Ce gai séjour m'enchante,*
> *Foi d'Anaïs*
> *C'est un vrai paradis*
> *Les gens et le pays*
> *Vive Anaïs, vive Anaïs !*

Ma fille se retourne enfin, me fixe de son sourire d'ange.

— Personne !

— Comment cela, personne ? Tu n'as pas pu inventer cette chanson.

— Si. Si maman.

Menteuse, ai-je envie de siffler.

Élise ne lui chante pas ce genre de chose. Angelo non plus, et il était à Saint-Valery aujourd'hui. Anaïs ne sait pas lire.

— Continue, continue. C'était joli.

Anaïs ne dit plus rien, son regard se trouble.

Ça lui arrive souvent, depuis Adèle.

Elle frissonne maintenant, je lui tends une serviette.

***

Plus tard, dans la soirée, lorsque Anaïs s'est crue seule dans son lit, elle a recommencé à chantonner. La même ritournelle. J'ai écouté, sans me rapprocher, sans parler. Plus elle grandit, plus Anaïs ressemble à Ruy. Rêveuse et boudeuse ; charmante et fuyante.

> *Ce gai séjour m'enchante,*
> *Foi d'Anaïs.*

Les paroles de la chanson s'accrochent à mes obsessions.

De qui parlent-elles ? D'Anaïs Aubert, encore elle ?

Toujours ce fantôme.

10.

Veules-les-Roses, le 23 janvier 2016

On m'espionne !

C'est une certitude désormais. Je n'en ai aucune preuve, aucun indice matériel, mais je le sais. Inexplicablement, on ressent un regard dans son dos. On peut se tromper une fois, mais pas tous les jours, pas en permanence. Quelqu'un rôde dans la maison, s'introduit chez moi, me suit, m'observe, dans chacune des pièces.

J'en ai parlé à Martineau. Il a eu beau me regarder de travers, je ne lui ai pas laissé le choix.

— Vous allez me fouiller toutes les pièces. Le moindre recoin !

Il a haussé les épaules, l'air de dire « *Après tout, c'est vous qui payez* ». Il a exploré la maison de fond en comble. J'étais derrière son dos, je ne l'ai pas lâché, il y a passé la matinée.

Pour rien !

Pas de crypte sous le sol carrelé, pas de porte secrète dans un pan de mur, pas d'entrée de tunnel, pas de placard à double fond.

Rien !

— On n'est pas chez Arsène Lupin, a commenté laconiquement Martineau.

Sauf que je sais ce que je dis !

Quelqu'un entre chez moi, se glisse dans mes pas, me traque.

Un être bien réel.

Pas le spectre d'Anaïs Aubert...

★★★

J'ai revu Alexandre. Il a insisté pour me montrer la fameuse grotte Victor Hugo. J'ai fini par céder, même si j'ai conscience qu'il s'agit d'une technique de drague locale déjà sans doute cent fois utilisée sur d'autres filles. En réalité, ce que les Veulais appellent la grotte Victor Hugo n'est qu'un trou de deux mètres sur trois creusé dans la falaise, accessible par trois marches, où, paraît-il, le vieil écrivain se recueillait en regardant la mer. La villa de son ami Paul Meurice, où il séjournait, se situait juste au-dessus, à l'emplacement actuel du restaurant Victor Hugo.

Alexandre, tout comme Victor avant lui, n'a pas tort : de la grotte, la vue sur la longue courbure du trait de côte est imprenable... même si la place pour deux est particulièrement exiguë.

— Savez-vous, Ariane, me glisse Alexandre, qu'on raconte qu'à Veules, un admirateur local de Victor Hugo avait écrit le nom de l'écrivain dans le sable. « Regardez, fit un ami à Hugo, la mer efface votre nom. »

Et Alexandre de se coller un peu plus à moi avant de poursuivre :

— « Elle ne l'efface pas, aurait répondu Hugo. Elle l'emporte » !

Ses yeux bleus ont cherché à intercepter les miens. Un instant, j'ai même cru qu'il allait m'embrasser, là, dans cette alcôve de craie. Il a dû sentir d'instinct qu'il allait un peu trop vite, qu'il allait se prendre un galet dans la mâchoire, comme ça, juste par réflexe.

Nous sommes restés là près d'une heure, l'un contre l'autre dans le trou d'albâtre, puis nous avons dégourdi nos muscles pendant une longue promenade sous la falaise. Sur la durée, il s'avère que le bellâtre n'est plus aussi drôle une fois qu'il a épuisé ses dix blagues préférées, et se révèle même assez prévisible dans ses compliments (parce que franchement, avec mon jeans, mon pull, mon blouson d'hiver et mon écharpe, me trouver bien roulée doit relever pour lui du pur pari). En revanche, il faut reconnaître à Alexandre une vraie et passionnante originalité : son goût pour l'histoire locale en général, et pour Anaïs Aubert en particulier.

Il m'a expliqué que la maison que j'occupe est celle du couple de pêcheurs chez lesquels Anaïs Aubert fut hébergée, lorsqu'elle découvrit le village en 1826. L'hospitalité des Veulais fut l'une des étincelles qui déclenchèrent son coup de foudre pour la future station.

Sans comprendre pourquoi, cette révélation me trouble.

Je n'ai pas acquis par hasard ce pas-de-porte à Veules. Ce sont Élise et Angelo qui se sont chargés de toutes les négociations avec l'agent immobilier Xavier Poulain. Seule, dans mon appartement à Nanterre, jamais je n'y serais parvenue. Il paraît que les propriétés de Veules se louent et se vendent uniquement entre initiés. Impossible d'entrer dans le cercle sans y être introduit.

Nous escaladons un épi de béton qui tente de piéger les galets qui dérivent vers le nord, lorsque profitant d'une courte pause dans sa tirade sur les peintres impressionnistes et Veules, j'évoque mon arrivée à l'abreuvoir, il y a presque quinze jours maintenant ; l'abandon de ma Fiat Panda toutes portières ouvertes. Alexandre devient soudain intarissable. Ses cris résonnent sous la falaise. Il me détaille à nouveau le fameux « mystère Anaïs Aubert », ce secret qu'elle emporta de Paris à Veules dans la diligence, pour le dissimuler ici, quelque part, dans ce village ! J'ai subitement l'impression qu'Alexandre ne me regarde plus comme un objet de désir, il pourrait tout autant déballer son monologue à une huître.

— Quel peut bien être ce secret, Ariane ? Vous rendez-vous compte ? Depuis mon enfance, depuis toujours, je n'entends parler que de lui. Où Anaïs Aubert l'a-t-elle caché ?

À croire qu'Alexandre m'a abordée avant-hier uniquement parce que j'habite la première maison occupée par Anaïs Aubert. Qu'il ne s'intéresse à moi qu'à travers le souvenir de cette actrice... J'en viens presque à souhaiter qu'il me prenne la main, qu'il m'attrape la taille, qu'il colle son torse contre mes seins, rien que pour le plaisir de l'envoyer promener. Mais ce goujat n'a même pas le moindre geste déplacé...

Nous revenons vers la station. Je réfléchis tout en continuant d'écouter Alexandre me raconter que Victor Hugo alla jusqu'à proposer un projet de loi à l'Assemblée nationale pour sauvegarder les falaises de Veules. C'est un malin, un professionnel de la séduction. Je ne suis pas dupe. Si ça se trouve, il me cuisine à petit feu avec les mystères de son actrice. Et je dois bien l'avouer : *J'aime bien sa méthode !*

***

Voilà, c'était hier.

J'ai laissé Alexandre sur la plage et je suis retournée chez moi ; j'ai continué de peindre, dans la même pièce que Martineau qui, tout en abattant ses cloisons de plâtre, lorgne avec un sourire qui m'énerve vers mes expositions de tortues, de chats, de vagues contre les falaises, de couchers de soleil, d'arcs-en-ciel. Comme si j'étais une gamine capricieuse qui allait vite, très vite se cogner à la réalité de la vie.

Et puis, Martineau a trouvé la lettre.

La lettre de Mélingue à Anaïs Aubert.

Et tout a basculé.

11.

J'ai installé mon ordinateur sous la seule lucarne du toit. Je surfe sur Internet à la lueur d'une ampoule faiblarde qui pend de la poutre au milieu de la pièce. J'ai testé chaque coin de la maison, c'est ici que la connexion 3G est la plus puissante. Je ne cesse de repenser à cette lettre de Mélingue à Anaïs Aubert.

« Quoi qu'il en soit, douce Anaïs, soyez rassurée. Votre secret ici est bien gardé. Il repose entre des mains qui vous sont chères.
Votre dévoué mousquetaire
Mélingue »

Anaïs dort dans la chambre d'à côté. Mes doigts dansent sur le clavier. Contrairement à Anaïs Aubert, Mélingue a laissé une certaine postérité sur Internet. Selon la Toile, il était l'acteur le plus populaire de son époque, j'apprends qu'il a joué dans toutes les grandes pièces d'Alexandre Dumas, *Les Trois Mousquetaires, La Reine Margot...* Étienne-Marin, c'est son prénom, était aussi à l'occasion sculpteur, peintre.

Grand ami d'Anaïs Aubert, c'est sur l'invitation de la belle actrice qu'il découvrit Veules-en-Caux. Coup de foudre ! Il achète trois cents mètres de littoral et y construit une villa d'opérette, « la belle auberge de D'Artagnan », une folie inspirée des décors de théâtre les plus baroques. La villa de Mélingue sera détruite en 1925 pour construire... un parking ! Je rumine toute seule sous les étoiles. Les hommes sont décidément stupides. Rasé, le décor d'opérette. Oubliés, les rôles glorieux du comédien. Il ne reste de Mélingue qu'une rue et une place de Veules qui portent son nom... dont aucun visiteur n'a jamais entendu parler. Dans la pénombre, mes doigts crépitent sur les touches, comme les petits pas d'une souris qui trotte la nuit sur le pavé.

Mélingue, dans sa lettre, parle d'une certaine Amy Ropsart. Google est intarissable sur le sujet ! Internet me fait l'effet d'un puits de connaissances sans fond au-dessus duquel on se penche pour étancher son inculture. Amy Ropsart était la femme d'un certain Robert Dudley, favori au seizième siècle de la reine Élisabeth Ire. La reine d'Angleterre envisageait de se marier avec le beau Robert, jusqu'à ce qu'on retrouve Amy Ropsart morte chez elle en bas de ses escaliers. Meurtre ? Suicide ? Énorme scandale à la cour d'Angleterre, en tous les cas. L'énigme d'Amy Ropsart est surtout restée célèbre parce qu'elle a inspiré les plus grands auteurs, dont Walter Scott, et apparemment une pièce de théâtre de Paul Foucher, le beau-frère de Victor Hugo, qui fut jouée le 13 février 1828... et se termina par un échec monumental !

Ma connexion donne des signes de faiblesse. Chaque clic prend maintenant plusieurs longues secondes. Je peste ! Quel peut bien être le rapport entre Veules, Mélingue et Amy Ropsart ? Le puits sans fond de connaissances est parfois plus sec qu'un simple livre sur le sujet. Patiente, je persiste néanmoins dans mes investigations. Mélingue parle également du *Roi s'amuse*. Google m'éclaire, et le rapport est cette fois-ci plus évident. *Le Roi s'amuse* est l'une des premières pièces de théâtre de Victor Hugo, jouée le 22 novembre 1832. Une catastrophe ! Huées du public, risée unanime des critiques, et même interdiction de la pièce par le gouvernement dès le lendemain de la seule et unique représentation, pour allusion politique. Apparemment, même le grand Victor a connu des débuts difficiles !

J'hésite.

Que faire ?

Continuer ainsi à passer ma nuit à surfer de site en site à la recherche d'une chimère ? Quelle chimère, d'ailleurs ? Confier cette lettre de Mélingue à un historien pour l'expertiser ? Oui, bien entendu, ce serait la meilleure des solutions. Avec de la chance, cela me ferait un petit coup de publicité avant l'ouverture de ma boutique. Sauf que je ne connais aucun historien... Et...

Je lève la tête vers les étoiles. J'ai mieux à faire ! Quelque chose m'échappe depuis que je suis à Veules. Trop de mystères, trop de coïncidences, telle cette lettre trouvée dans un mur, comme par hasard. Je ne réfléchis plus. J'attrape mon téléphone portable et rappelle le dernier numéro de la liste de mes contacts.

Alexandre.

Pas de réponse, juste le répondeur.

— Alexandre, c'est Ariane. Il faut que l'on se voie. Demain, si possible. Rien de grave. J'ai… j'ai fait une découverte. Une découverte qui va follement vous intéresser.

Je raccroche.

Combien de temps suis-je restée la tête entre les mains ?

Le hurlement déchire la nuit.

Le téléphone. Pas mon portable, le fixe, dans la chambre.

Je me précipite, je décroche, fébrile, dans un réflexe de mère qui craint avant tout que sa fille ne soit réveillée.

Une voix, juste une voix. Froide. Tranchante.

— *Idiote ! Ne dites rien. Ne faites confiance à personne !*

On a déjà raccroché.

Je tremble de tout mon corps. Des gouttes de sueur coulent sur mes jambes. Mes pieds glacés laissent des marques humides sur le pavé froid.

12.

J'ai rendez-vous avec Alexandre devant la stèle de Victor Hugo, juste au-dessous des vestiges de l'église Saint-Nicolas, quelques ruines dispersées autour d'une croix de grès. Alexandre est en retard. Je prends le temps de détailler l'immense fresque de bronze qui représente un Victor Hugo entouré d'une vingtaine de ses héros, Esmeralda, Quasimodo, Cosette, Gavroche… J'ai déposé il y a une heure Anaïs chez ses grands-parents. Je n'ai pas fermé l'œil de la nuit. J'ai l'impression que les événements se jettent sur moi comme la houle sur la falaise, que je me lézarde, vague après vague.

Alexandre surgit de nulle part, essoufflé.

— Alors, Ariane ? Je suis venu en courant, j'ai même décommandé une sortie en mer prévue avec des amis à Antifer. Dites-moi vite, qu'avez-vous trouvé ?

J'hésite un instant, je ne peux m'empêcher de repenser au coup de téléphone anonyme nocturne.

« Idiote ! Ne dites rien. Ne faites confiance à personne ! »

Tant pis ! Je tends à Alexandre la lettre de Mélingue. Il la saisit d'abord étonné, puis dévore les lignes manuscrites, d'une traite. Ses yeux se plissent. Sa bouche grande ouverte lâche des « Mon Dieu, Mon Dieu ».

Alexandre relit, relit encore.

— Alexandre !

Je n'existe plus.

— Alexandre ?

Je hurle.

La colère, la fatigue, la peur.

Il lève enfin les yeux vers moi.

— Venez !

Alexandre tire ma main, je ne résiste pas. Nous traversons tout le village presque en courant. La rue de la Mer, la place des Écossais, la tour carrée de l'église Saint-Martin, la fabrique des tisserands. Je reconnais le grimoire de fer forgé.

La bibliothèque de Veules.

— Suivez-moi, souffle encore Alexandre.

La porte de la basse chaumière claque.

— Salut Mado ! lance Alexandre à la bibliothécaire derrière son bureau.

La femme ne semble pas avoir bougé d'un millimètre depuis une semaine. Pas un cheveu du chignon. Alors que nous nous dirigeons vers les rayons consacrés à l'histoire locale, je me tourne vers Alexandre :

— C'est quoi ce cirque ?

— Vous n'allez pas me croire, alors, je vais directement vous montrer les preuves. Installez-vous.

Je m'effondre sur une chaise en reprenant ma respiration. Alexandre se hisse sur la pointe des pieds, attrape un grand ouvrage cartonné et le pose devant moi sur la table. J'ai à peine le temps de lire le titre, *Encyclopédie illustrée du théâtre romantique français au XIXe siècle*.

— Écoutez-moi, Ariane. Nous savons qu'Anaïs Aubert s'est enfuie de Paris en 1826. Pour quelle foutue raison ? Déception amoureuse ? Échec au théâtre ? Vous avez dû surfer sur Internet, n'est-ce pas ? Rien, on ne trouve strictement rien ! Alors, j'ai mis des années, mais j'ai cherché, dans les archives, dans des pièces de collection, dans la mémoire de vieux historiens. Ariane, écoutez-moi, cette lettre que vous avez trouvée confirme toutes mes déductions. Mon hypothèse la plus folle.

Alexandre jette un œil méfiant à la bibliothécaire empaillée et baisse d'un ton, comme s'il craignait de se laisser emporter par son euphorie.

— Mélingue, dans la lettre que vous avez trouvée, parle d'Amy Ropsart.

— Oui, il s'agit d'une pièce de théâtre écrite par le beau-frère de Hugo, Paul Foucher.

Alexandre explose d'un rire méprisant.

— Pas du tout ! Il ne faut jamais se contenter de ce qu'Internet raconte. En réalité, lorsque Victor Hugo avait dix-neuf ans, il écrivit trois actes d'une pièce, *Amy Ropsart*, avec l'aide d'un certain Soumet, qui devait rédiger les deux autres.

Le Soumet en question a trouvé les actes proposés par le jeune et miséreux Hugo trop mauvais, mêlant selon lui de façon ridicule tragédie et comédie. Bref, nous sommes en 1822 et le texte finit au fond d'un tiroir. Ce n'est que six ans plus tard que le beau-frère de Hugo, Paul Foucher, a l'idée de lui demander de lui « donner » cette pièce de jeunesse que l'écrivain prétendait vouloir brûler. Ce dernier accepte. Il n'aurait pas dû ! La seule et unique représentation sera un gigantesque fiasco pour Paul Foucher... et par ricochet, pour Victor Hugo. Il faudra attendre 1889, quatre ans après la mort de Hugo, pour que la pièce soit jouée à nouveau... Et, vous vous en doutez, elle sera saluée cette fois par tous les critiques comme un authentique chef-d'œuvre !

Je fais tomber mon manteau sur la chaise la plus proche. Je m'impatiente. Je finis par préférer l'Alexandre planchiste torse nu à l'Alexandre érudit indifférent face à ce qui me reste de séduction féminine.

— D'accord Alexandre. Mais quel rapport avec Veules-les-Roses ?

Alexandre fait glisser vers moi l'*Encyclopédie illustrée du théâtre romantique français au XIXe siècle*. Il tourne les pages jusqu'au chapitre consacré à Amy Ropsart.

— Joli non ? Les costumes étaient tout de même signés Eugène Delacroix. Rien que ça ! Mais regardez ! Regardez qui tenait le rôle d'Amy Ropsart lors de cette unique représentation.

Je penche la tête et je découvre une liste de personnages suivie d'une liste d'acteurs.

« *Amy Ropsart, jouée par Anaïs Aubert.* »
Mon Dieu !

— Attendez, attendez.

Alexandre saisit ma main et continue sans souffler :

— Passons au *Roi s'amuse*. 1832. C'est le second cuisant échec théâtral de Hugo. Et pas sous un faux nom, cette fois !

Je coupe Alexandre :

— D'accord, j'ai lu cela sur le Net. La pièce était mauvaise. Une seule représentation. Un bide !

Alexandre s'étrangle.

— *Le Roi s'amuse*, une mauvaise pièce ? Je vous l'accorde, elle n'a été jouée qu'une fois, mais savez-vous qu'elle sera reprise vingt ans plus tard par Verdi pour en faire un opéra ? *Rigoletto* ! L'un des plus célèbres opéras du monde ! Non, en réalité, l'échec du *Roi s'amuse* s'explique par deux raisons, seulement deux raisons.

— Lesquelles ? suis-je obligée de demander comme une élève attentive.

— La première est politique. Le héros du *Roi s'amuse*, de *Rigoletto*, est un bouffon monstrueux qui se moque ouvertement de la monarchie.

— J'ai compris. Et la seconde ?

Alexandre glisse à nouveau l'encyclopédie devant mon nez, tourne les pages. Il continue sur le même ton doctoral :

— Hugo a écrit une tragédie classique. Triboulet, le bouffon monstrueux, aime follement sa fille unique, Blanche. Le grand rôle dramatique de la pièce ! Le roi François Ier enlève Blanche et tente

79

de la séduire. Droit de cuissage royal ! Triboulet le bouffon veut alors assassiner le roi pour se venger, mais Blanche déjoue l'attentat en se faisant tuer à sa place... par son propre père ! Un sombre drame romantique, vous voyez. Mais à votre avis, Ariane, qui jouait le rôle de Blanche ?

Je lis. Je connais déjà la réponse.

« *Blanche, fille de Triboulet, jouée par Mlle Anaïs.* »

— Lisez, insiste encore Alexandre, lisez les critiques.

Je détaille un long texte de commentaires sur les corrections apportées par Victor Hugo pour espérer déjouer la censure et retourner les critiques en sa faveur. « *Les remaniements de l'acte II montrent la disparition presque complète de tout le détail de l'enlèvement de Blanche : sur la scène on avait enlevé "Mlle Anaïs tête en bas et jambes en l'air".* »

J'en ai assez, cette fois.

— Alexandre, cessez de jouer au chat et à la souris avec moi. En quoi consiste-t-elle au juste, votre fameuse théorie ?

Un grand sourire s'affiche sur le visage d'Alexandre. Il pose un doigt sur sa bouche et regarde en coin la bibliothécaire statufiée.

— Cela reste un secret entre nous, je vous fais confiance. Ce que je vais vous révéler, à ma connaissance, aucun spécialiste de Hugo n'en a jamais fait l'hypothèse.

Il m'énerve avec ses précautions.

— Allez-y !

— D'accord, Ariane, d'accord. Victor Hugo, comme chacun sait, est né en 1802. Le siècle avait deux ans ! À votre avis, en quelle année est née Anaïs Aubert ?

Je demeure muette, j'ai décidé de ne plus jouer aux devinettes.

— 1802 ! Comme Hugo ! Je résume ce que nous savons, Ariane. Victor Hugo est le jeune auteur romantique le plus prometteur de Paris. Mlle Anaïs la plus jolie comédienne de la capitale. Ils étaient nés pour se rencontrer. C'est le cas d'ailleurs, je vous en ai fourni la preuve historique : le jeune Victor Hugo va confier à Mlle Anaïs ses deux premiers rôles dramatiques. C'est même incroyable, lorsqu'on y pense ! Anaïs Aubert est connue pour ses rôles de soubrette à la Comédie-Française. Jules Truffier dira même d'elle qu'elle était tout à fait insuffisante pour jouer la tragédie. La question décisive est alors la suivante : pourquoi le jeune et talentueux Victor Hugo fait-il porter sur les épaules d'une actrice qui n'est pas à la hauteur, la jolie Anaïs, les rôles-titres de ses premières grandes tragédies ?

Je crie presque :

— Parce qu'il couchait avec elle !

— C'est l'évidence, triomphe Alexandre. Anaïs Aubert était la maîtresse de Hugo ! Je sais, les spécialistes vous diront qu'il est longtemps resté amoureux de sa femme infidèle, Adèle. Je n'y crois pas une seconde ! Hugo a multiplié les maîtresses au cours de sa vie, on se découvre rarement un beau jour, sur le tard, coureur de jupons. Faites-moi confiance, Ariane, Anaïs Aubert était l'amante de Victor Hugo. L'écrivain la laissera tomber après 1832 et l'échec du *Roi s'amuse*. Le second échec après *Amy Ropsart*. Deux échecs provoqués, entre autres, par l'interprétation ridicule de Mlle Anaïs. Quelques mois plus tard, Hugo devient l'amant de Juliette Drouet. Une maîtresse chasse l'autre.

— D'accord, Alexandre, votre hypothèse est cohérente. Mais en 1826 ? Que s'est-il passé en 1826 ?

Le regard d'Alexandre scrute autour de lui. Une mouette aux aguets.

— Nous savons maintenant qu'en 1826 la belle actrice a fui son amant, qui n'est autre que Victor Hugo. On ne découvrira sans doute jamais la cause de cette dispute. Hugo était alors un tout jeune père : peut-être avait-il des scrupules, peut-être qu'Anaïs voulait obtenir davantage du jeune homme que le simple statut de maîtresse. Mais ce que je sais, par contre...

Sa voix devient grave.

— Je l'ai découvert après des années de recherches, dans une lettre de Jules Truffier, l'homme de théâtre, l'ami de Hugo, de Mélingue et de Veules-les-Roses. Truffier dressait un tableau peu flatteur d'Anaïs Aubert, racontait qu'elle avait plus de charme que de talent, vous voyez ce que je veux dire. Mais surtout...

Alexandre hésite encore. Je dois lui sortir les vers du nez. En alexandrins s'il le faut !

— Mais surtout ?

Alexandre me répond d'une traite :

— Mais surtout, Truffier sous-entendait, tout comme Mélingue dans votre lettre, qu'Anaïs Aubert avait dissimulé un secret à Veules, un secret avec lequel elle s'était enfuie. Mais Truffier était bien plus précis que Mélingue.

Alexandre ménage encore une interminable pause. Je soupire, il poursuit :

— Truffier prétend qu'Anaïs Aubert, par jalousie, a volé un manuscrit au jeune Hugo ! L'original d'une pièce, d'un roman, d'un essai, on ne sait pas. Hugo travaillait sur *Cromwell* en 1826. Anaïs parla autour d'elle de ce texte mystérieux qu'elle avait dérobé. C'est ce manuscrit original que je recherche depuis des années. Depuis toute ma vie !

Je reste là, sans rien pouvoir dire d'autre, le souffle coupé.

★★★

Alexandre a continué de parler, longtemps. Plus d'une heure. Il se perdait en spéculations sur ce mystérieux manuscrit dissimulé quelque part à Veules-les-Roses depuis 1826. Des spéculations d'ailleurs plus financières que culturelles. Combien pourrait valoir un manuscrit de Victor Hugo ? Une œuvre inédite de l'écrivain peut-être le plus connu au monde. Des millions ? Des dizaines de millions ? Autant que n'importe quelle toile de maître ? Davantage, même ?

Petit à petit, je prends conscience que je suis la seule à partager ce secret avec Alexandre. Par la simple grâce de la lettre de Mélingue. Comme si la falaise s'était effondrée sur moi.

Dans quelle histoire de dingues me suis-je fourrée ?

13.

Veules-les-Roses, le 25 janvier 2016

Je suis en retard ce matin. Anaïs n'est pas encore habillée, nous n'avons pas déjeuné. Je suis encore sous la douche. J'ai passé une nouvelle nuit d'à peine trois heures. À ce rythme-là, je ne vais jamais tenir le coup.

L'eau coule, tiède.

Tout est pourri, fichu, dans cette maison de misère. Le jet asperge davantage la pièce que l'intérieur de la baignoire sabot. Malgré moi, je ressasse à l'infini les révélations d'Alexandre. Anaïs Aubert, amante de Victor Hugo. Volant un manuscrit, l'emportant loin, très loin, le cachant au bout du monde.

L'eau vire du tiède au froid. Mes doigts tentent d'aider le mince filet d'eau à rincer mes cheveux.

C'est ici, dans cette maison, la mienne désormais, qu'Anaïs Aubert dormit en 1826. Je tente de me raisonner. Tout ceci n'est que spéculation, pure folie. J'ai une boutique à ouvrir dans quatre mois, des objets à peindre. Et Martineau qui va arriver.

Le téléphone retentit.

J'ai peur soudain. Une intuition, cette voix, l'autre jour.

J'enjambe la baignoire sabot, je ne prends même pas le temps de me méfier du sol mouillé, de me recouvrir d'une serviette. Je traverse la pièce, j'empoigne le téléphone. Nue, je m'en fiche.

Anaïs n'est pas dans la pièce, elle doit jouer dans la cuisine.

Je décroche.

La voix me glace la nuque. Toujours cette même voix anonyme. Mais affolée cette fois.

« *Votre fille, bon Dieu ! Votre fille, dans la cuisine.* »

Je hurle, je lâche tout, je cours, sans réfléchir.

Dans la cuisine, un nuage de fumée me brouille les yeux. J'entends simplement le sifflement de l'eau qui bout et soudain, en un éclair, l'image se fige.

Anaïs est debout sur une chaise. La queue de la casserole à quelques centimètres de sa main. Je pousse un hurlement désespéré.

— NON !...

Sa petite main touche presque le récipient.

Un autre cri. Toutes mes tripes.

— NON ANAÏS !

La main s'arrête brusquement. La chaise hésite un instant à basculer sur la gazinière, avant de retomber sur ses pieds. Je saisis Anaïs d'un bras, tourne la casserole de l'autre, ferme le gaz.

— Ma petite, ma toute petite.

Je sens son cœur qui bat contre mes seins.

— Tu me mouilles, maman.

Je suis nue, trempée.

Mère indigne. Complètement folle. Inconsciente.

Le téléphone pend toujours au bout du fil.

Je le soulève, porte l'écouteur à mon oreille.

Il n'y a plus personne à l'autre bout du combiné.

Il n'y a personne dans la cuisine.

Personne dans la maison.

Je prends seulement conscience de ma nudité.

Quelqu'un m'observe, sous ma douche, dans mon lit, chaque instant.

Quelqu'un viole mon intimité.

Qui ?

Un monstre pervers ? Un ange gardien ?

Comment est-ce possible ?

Et cette voix mon Dieu. Je suis persuadée de connaître cette voix.

14.

J'ouvre l'annuaire, les pages jaunes, je ferme les yeux, mon doigt descend puis s'arrête.

Je me fie au plus pur des hasards.

Je lis.

Michel Delamare. Artisan maçon à Cany-Barville.

Je téléphone.

Bien entendu, ce Michel Delamare n'a pas tout compris à ce que je désirais, mais je m'en fiche, l'essentiel est là, il passera demain rue Victor-Hugo procéder à une inspection générale des murs, du sol, du grenier. Dans la foulée, j'ai également téléphoné à Martineau, pour lui dire de ne pas venir demain. Lui non plus n'a pas tout compris. Il a bougonné, comme d'habitude, en prétendant qu'il n'aurait jamais terminé à temps ma boutique.

★★★

Je dîne avec Claire à La Marine. Nous sommes seules toutes les deux dans sa crêperie. Il n'y a pas le bonnet d'un client à l'horizon ! Claire, tout comme moi, essaye de tenir l'hiver comme elle peut et attend les week-ends de mai avec impatience. Claire élève seule un garçon de quatre ans, Tom ; le garçon est même resté en garde chez Élise, l'année dernière, avant d'entrer en maternelle.

Pendant que nous mangeons, Anaïs et Tom jouent ensemble, à genoux devant une caisse de Lego. Dans son restaurant, Claire a aménagé un coin détente un peu comme la salle d'attente d'un médecin : des jeux dans une caisse, des revues sur une table basse, des livres dans une petite bibliothèque.

Je déguste une crêpe Saint-Jacques, poireaux, sauce dieppoise. Les crêpes de Claire, à la pleine saison, je ne sais pas ce qu'elles valent, mais hors saison... un pur délice ! Moi qui ne bois jamais, je vide d'un trait mon troisième bol de cidre.

C'est alors que je raconte tout à Claire. Comme cela, sans raison précise. La fatigue, sans doute, la solitude, la frousse. J'ai tout déballé. La lettre de Mélingue, le secret d'Anaïs Aubert, l'obsession d'Alexandre, les coups de téléphone anonymes, les chansons d'Anaïs... Adèle.

Claire me regarde longuement, comme un psy examine un patient hors norme, elle se pince les lèvres, puis elle me répond d'une traite :

— Pour le reste, j'en sais rien. Pour tout te dire, je suis un peu larguée en ce qui concerne tes histoires de manuscrit de Victor Hugo, de pièces de théâtre de Mlle Anaïs, de revenants qui traversent les murs équipés de leur portable. Mais par contre, pour Alexandre, je peux juste te dire un truc : fais gaffe !

Son conseil me surprend.

— Claire, tu veux dire quoi exactement ?

Claire rougit. Rosit, plutôt. Claire est assez mignonne, un peu boulotte, avec de grands yeux clairs, des taches de rousseur qui éclaboussent ses joues et des cheveux bouclés et épais qui lui font une tête toute ronde. Une bonne bouille, comme on dit ici. Elle tousse, descend à son tour son bol de cidre, et se lance :

— Tu sais, Ariane, ma petite histoire de mère célibataire est beaucoup moins romantique que celle de ton Ruy envolé à l'autre bout du monde. Le père de Tom, pas besoin de balise Argos pour le localiser. Il fait les quarts à la centrale nucléaire de Paluel et gagne assez de fric pour retaper son clos-masure à Blosseville, à moins de dix bornes d'ici, tout en versant des pensions alimentaires à deux autres pommes de mon calibre.

Nous rions toutes les deux. Le bouchon d'une seconde bouteille de cidre saute. Nos deux bols s'entrechoquent.

À la santé des salauds !

J'ai de la suite dans les idées :

— Et pour Alexandre ? Ils sous-entendaient quoi, tes conseils ?

— Qu'est-ce que tu préfères comme adjectif ? Dragueur ? Baratineur ? Parasite ? Je n'étais pas au courant qu'il était aussi dingue avec cette histoire d'actrice et de bouquin de Victor Hugo, mais cela ne m'étonne pas plus que ça.

Une dernière noix de Saint-Jacques. Arrosée.
Je savoure. Un brin garce.

— Tu te l'es fait ?

Claire me répond d'un sourire gêné, des centaines de jolies taches roses picorent sa peau.

J'enfonce le clou.

— Je suis sûre que si !

Claire la joue timide. J'insiste :

— Je ne suis pas jalouse, Claire, je me fous de ce type.

— Une seule fois, il y a une éternité. Tom n'avait pas un an. Mais je sais ce que je dis, Ariane. Méfie-toi de lui.

Nous rions à nouveau. Je me lève, la démarche un peu hésitante. Cela fait des années que je n'ai pas bu une goutte d'alcool. Je m'avance vers Anaïs et Tom. Ils ont étalé des Lego partout, des revues aussi, quelques livres.

Mon regard se fige soudain.

Le livre !

Impossible de ne pas reconnaître *Les Promeneurs de Veules*.

Sans réfléchir, je me penche, j'attrape le fascicule et je tourne les pages avec fébrilité.

Page 42. La photographie du banquet de Victor Hugo. Celle qu'on me cache depuis mon arrivée.

Rien !

Il n'y a pas de page 42... Juste une feuille déchirée à la place.

Le restaurant bascule autour de moi. Quand cette folie s'arrêtera-t-elle ?

Je me retourne vers Claire et je crie :

— Pourquoi ? Pourquoi est-elle déchirée cette page ?

Anaïs et Tom me regardent bizarrement. Claire, occupée à ranger les couverts, hausse les épaules :

— Aucune idée, c'est un vieux livre.

Je ne me calme pas :

— Justement qu'est-ce qu'il fait ici ce livre, dans ta crêperie ?

Claire me répond sèchement, énervée maintenant par mes délires :

— Je ne sais pas. Dans le village, tout le monde l'a quelque part chez lui, ce livre, sur une étagère ou ailleurs.

15.

Veules-les-Roses, le 27 janvier 2016

Michel Delamare, le maçon de Cany-Barville, est arrivé ce matin. C'est un type bedonnant d'une soixantaine d'années, flanqué d'un apprenti de vingt ans, timide et beau comme un dieu. Delamare a tout vérifié, du sol au plafond. Il a sondé les murs, poussé les meubles, inspecté les combles. Il y a passé presque la journée. Je le suivais pas à pas, comme un second apprenti, en plus empotée que le chippendale en bleu de travail. Plus ça allait, plus le sourire de Delamare s'élargissait.

— Vous cherchez quoi exactement, ma petite dame ? Si vous courez après un fantôme, c'est pas un maçon qu'il vous faut, c'est un exorciste.

Je suis partie chercher Anaïs vers 17 heures. Delamare était encore là, à explorer avec son apprenti les fondations de la maison. Malgré ses sarcasmes, il avait l'air de prendre son travail au sérieux. Il a laissé tomber vers 18 heures, en n'ayant découvert aucun passage secret dans la maison. Pas la moindre cachette, pas le moindre micro, pas la moindre caméra, même miniature. Delamare m'a facturé le tout trois cents euros. « Vous voilà rassurée ma p'tite dame », m'a-t-il glissé en fourrant le chèque dans sa poche. L'apprenti a ramassé tous les outils pendant que Delamare sirotait la bière que je lui ai proposée par politesse, puis ils sont remontés dans leur camionnette.

Rassurée ?

Jamais je ne l'ai moins été. D'un instant à l'autre, je m'attends à entendre le téléphone déchirer le silence et la sinistre voix me narguer.

« *Coucou ma chérie, cherche, cherche encore. Je suis là, je suis si près de toi.* »

Anaïs joue dans la cuisine.

— Regarde, regarde, maman.

Heureusement qu'il y a Anaïs pour me raccrocher à des lambeaux de réalité. Ma fille me tend un cahier.

— J'ai fait ça avec mamy Élise aujourd'hui.

Mes yeux se perdent dans les méandres de l'écriture ronde. L'émotion est trop forte, je fonds en larmes.

— C'est... C'est mamy qui a écrit ce poème ?

— NON ! fait Anaïs vexée. C'est elle qui a écrit, mais c'est moi qui ai tout inventé. Je te jure, maman.

— Je te crois, je te crois, ma chérie.

Les mots d'Anaïs chantent, tellement beaux, beaucoup trop beaux pour avoir été inventés par une petite fille de trois ans.

Dansez, petites vagues,
Toutes en rond
En vous voyant si joyeuses,
Nageons

Tournez, petits moulins,
Tous en rond
Puisque vous êtes si courageux,
Jouons

Cherchez maman, mamy,
Tournez en rond
Je suis trop bien cachée,
Pardon.

Je serre Anaïs entre mes bras. Dans mon esprit dévasté, fierté et incrédulité s'affrontent en une lutte schizophrène. Anaïs n'a pas pu composer seule ce poème. Pourquoi me mentir, alors ? Pourquoi ce nouveau mensonge, ce nouveau mystère ? Je repense à cette chanson qu'Anaïs ne cesse de fredonner.

Ce gai séjour m'enchante,
Foi d'Anaïs.

Que me dissimule-t-on ? Pour me cacher quel secret les habitants du village se sont-ils ligués ? Tous les habitants !
Je deviens folle.

***

Je borde Anaïs dans son lit.

— Il t'a plu, maman, mon poème ?

— C'est le plus beau du monde, ma chérie.

Ses yeux pétillent de joie. Comment pourrait-elle me jouer la comédie ?

— Je t'en écrirai un autre demain, maman.

— D'accord, mon ange.

Je l'embrasse sur la joue, inspire longuement, le timbre de ma voix tremble, comme si je me sentais coupable.

— Demain soir, ma puce, est-ce que tu voudras bien aller dormir chez Claire ? Tu pourras jouer avec Tom. Tu l'aimes bien, Tom, je crois ?

16.

Veules-les-Roses, le 28 janvier 2016

Comme en contraste avec la crêperie de Claire, le restaurant Les Galets fait salle comble. La meilleure table de Seine-Maritime, selon certains gourmets, fonctionne à plein, hiver comme été. Une jeune fille raide et maquillée récite d'une traite la composition du premier plat comme s'il s'agissait de vers de Victor Hugo lors d'un casting pour entrer à la Comédie-Française.

« *Ravioles de Neufchâtel au thym fleurs, pousses sauvages, huile de noisette.* »

Alexandre n'a pas fait les choses à moitié pour sa première invitation officielle. Une table aux Galets, en tête à tête. Je m'en veux un peu de laisser Anaïs seule chez Claire, même si je me doute que ma fille préfère sûrement les crêpes œuf-jambon au raffiné menu enfant à quinze euros que proposent Les Galets.

Fidèle à son habitude, Alexandre fait la conversation pour deux. Depuis une demi-heure, Victor Hugo est l'unique sujet de discussion. Alexandre se penche vers moi, murmure plus qu'il ne parle, comme s'il craignait les oreilles indiscrètes des tables voisines ou les micros dissimulés dans les plantes vertes. Il échafaude toutes sortes d'hypothèses à propos du fameux manuscrit volé par Anaïs Aubert. En 1826, Hugo écrivait *Cromwell*, un drame injouable de six mille vers, dont seule la préface est restée célèbre : elle est considérée comme l'acte fondateur du romantisme ! Est-ce cela, le manuscrit volé ? Une autre préface à *Cromwell* ? De nouveaux vers qui s'ajoutent aux six mille autres ? Ou pourquoi pas, un traité politique inédit rédigé par le fougueux jeune Hugo ? Contre la peine de mort. Pour l'union des pays européens. Contre la monarchie. « Que sais-je ? » s'emballe Alexandre, oubliant progressivement toute prudence.

J'écoute. Mes pensées se perdent. Je ne peux m'empêcher de me souvenir d'un autre repas, dans ce même restaurant, quelques tables plus loin, plus près de la mer. Avec Ruy.

Ruy était plus drôle. Ruy était plus beau. Ruy était...

— Ariane ?

« *Foie gras de canard fermier poêlé et caramélisé sur toast de pain au levain de cidre* », récite la fille.

Alexandre a enfin compris qu'il m'ennuie avec ses théories. Il change de registre. Enfin, pas tout à fait. Il me raconte comment, depuis vingt ans, il s'est introduit dans toutes les villas du village à la recherche du moindre indice ! Tous les pré-textes étaient bons : cours de musique ou de tennis pour les petits, entretien des jardins, bri-colage des meubles anciens, concert de piano ou d'accordéon pour les cérémonies. Il lui fallait être rusé... les estivants n'ouvrent pas facilement leur porte aux Veulais né-natifs. Deux mondes qui s'ignorent.

« *Tomate grappe confite rôtie aux mendiants et brunoise de fruits frais.* »

Alexandre devient maintenant très drôle. Il détaille comment, selon les occasions, il est devenu l'amant des filles ou des mères, le confident des grands-mères, le bon copain des maris. Parfois tout cela sous le même toit. Une voix insidieuse me suggère qu'Alexandre possède le profil idéal pour être cet espion qui hante ma boutique. Son obsession, son goût des mystères, sa connaissance des secrets du village, ce voyeurisme jusque sous ma douche. Sauf que quelque chose ne colle pas. La voix au téléphone, pour commencer. Et sur-tout, je repense aux maçons qui se sont succédé chez moi, ce constat que je dois admettre, malgré les évidences : il est impossible que quelqu'un entre et se cache chez moi !

— On bouge ?
— Volontiers, Alexandre. C'était divin.

Avec Ruy, nous avions suivi tout le cours de la Veules, nous nous étions embrassés à chaque moulin, nous nous étions baignés nus, nous avions fait l'amour sur la plage déserte, puis à nouveau, sous la mansarde de la chambre ; au petit-déjeuner sous la pergola, avant, après.

À l'instant, je n'ai qu'une envie. Me coucher.

— Un dernier verre, Ariane ?

Me coucher. Seule ou non.

Quelle importance ? Ma boutique n'est qu'à quelques pas, ma chambre à quelques marches, au-dessus.

Nous remontons la rue Victor-Hugo. Nous passons devant la crêperie de Claire. Les volets sont fermés, aucun trait de lumière ne filtre, tous sont déjà sans doute endormis. Je pense à Anaïs, forcément.

Trente mètres encore.

Nous nous arrêtons devant chez moi. Pendant que la clé s'introduit dans la serrure de la porte, je sens les lèvres d'Alexandre se poser sur ma nuque, sa main s'aventurer le long de ma taille.

J'entre. Alexandre se colle à moi.

— Tu n'allumes pas ? susurre-t-il dans mon cou.

— Non. Surtout pas.

17.

Veules-les-Roses, le 29 janvier 2016

Alexandre dort encore dans mon lit.

Il est 7 heures du matin, je suis déjà levée, je n'ai plus sommeil. En me promenant dans les pièces à la lueur du jour, j'ai découvert qu'Anaïs, avant de partir, avait collé partout, sur tous les meubles, des Post-It roses en forme de cœur.

Une pluie de petits poèmes express.

Maman je t'aime gros comme Jupiter et plus long-temps que des années-lumière.

Et une dizaine d'autres comme celui-là.

Je suis émue aux larmes. Comme si Anaïs avait deviné que je ne dormirais pas seule, qu'un homme s'inviterait dans mon lit, qu'elle voudrait être pré-sente tout de même, à mon réveil. Elle a sans doute une nouvelle fois préparé sa surprise avec sa grand-mère. Anaïs a rencontré Alexandre une fois ou deux, rapidement. Elle m'a vue lui parler, de loin. Elle lui a dit bonjour les yeux baissés.

Je crois qu'Anaïs n'aime pas trop Alexandre.

Je marche pieds nus dans la boutique, seulement vêtue d'un long T-shirt. Je frissonne encore de la pression des doigts d'Alexandre sur mes cuisses, mes reins, mes seins. Plus qu'un souvenir de plaisir, je ressens l'impression à la fois agréable et douloureuse de courbatures après l'effort. À peu près l'équivalent d'un jogging, d'une séance de musculation ou d'une soirée en boîte. Un corps engourdi qui se réveille à la vie.

Je me verse un verre d'eau.

Je sais que quelqu'un est là, que des yeux scrutent chacun de mes gestes.

Qui ?

Un esprit réveillé par les coups de masse de Martineau ? Un être invisible, qui seul connaît une cache indécelable par une armée de maçons ? Une caméra miniature et sophistiquée dissimulée je ne sais où ?

Je n'ai qu'une certitude : quelqu'un m'observe. Me surveille. Me protège, peut-être.

Soudain, un bruit mat d'objet qui tombe sur le sol me distrait. Le son provient de l'étage, juste au-dessus de ma tête. Je remonte l'escalier en silence. Pieds de velours. Je retiens ma respiration, je pousse la porte de ma chambre.

Alexandre ne dort pas !

Il est debout, en caleçon, penché au-dessus des étagères derrière le lit. Il sonde le mur en tapant doucement les briques de son poing.

Quelle conne !

J'étais pourtant prévenue. Alexandre me l'avait même avoué : tous les moyens sont bons pour gagner la confiance des Veulais, pour pénétrer chez eux, épier, fouiller, voler. Autant de stratégies délirantes, de manipulations sentimentales qui n'ont qu'un seul objectif : découvrir ce maudit manuscrit de Hugo !

— Fous le camp Alexandre ! Fous le camp de chez moi. Immédiatement !

18.

Veules-les-Roses, le 29 janvier 2016

Il est maintenant 8 heures du matin.

Je tourne en rond dans mes soixante-dix mètres carrés. Il est trop tôt pour aller chercher Anaïs chez Claire et, de toutes les façons, nous avons convenu hier qu'elle la déposerait directement chez sa grand-mère lorsqu'elle serait réveillée. Claire me l'a proposé en me lançant un clin d'œil.

— On ne sait jamais, Ariane, si tu as un invité surprise... Tu ferais bien aussi de décommander ton Martineau pour demain matin.

Claire avait raison, sur toute la ligne. J'ai demandé à Martineau de n'arriver qu'à midi. Sauf que l'invité en question a décampé plus vite que prévu ! Je ne peux m'empêcher de repenser à Alexandre, à ses yeux injectés de sang, il y a quelques minutes, furieux d'être ainsi chassé de chez moi.

Des yeux de dingue !

Je range un à un les poèmes d'Anaïs, ces cœurs roses de papier, tout en continuant de penser qu'elle ne peut avoir inventé toute seule ces incroyables bouts de phrases. Élise lui a sans doute soufflé. J'en doute pourtant... Cela ne ressemble pas à sa grand-mère. Je me fais couler un café. Pendant que l'eau percole dans ma cafetière fatiguée, j'observe distraitement par la fenêtre les villas de Veules qui s'accrochent au versant de la vallée. Une légère brume se disperse au-dessus de la falaise.

Une porte claque dans mon dos.

Un frisson m'électrise la nuque. J'identifie la direction de la porte d'entrée.

Claire ? Anaïs ? Martineau ?

— Qui est là ?

Personne ne me répond.

J'avance doucement. Un mauvais pressentiment me submerge. Quelqu'un est entré, quelqu'un se cache dans ma boutique en travaux et, cette fois, il ne s'agit pas d'un fantôme ou d'une voix dans le téléphone.

— Il... Il y a quelqu'un ?

Les mots s'étranglent dans ma gorge.

— Il...

Je n'ai pas le temps de poser une autre question. L'ombre surgit derrière moi. Je tente désespérément de faire un pas de côté. La planche sur laquelle sont posées une dizaine d'écorces peintes s'effondre. Une semaine de travail perdue.

La dernière de mes inquiétudes.

L'ombre cherche à agripper mon bras. Je me débats encore, mes doigts s'écorchent au silex du mur. Deux mains rampent vers mes épaules, puis se détendent brusquement : la première attrape une touffe de mes cheveux, la seconde se pose sur ma bouche.

Je sens ma nuque tirée en arrière. L'ombre me domine, puissante, irrésistible.

Douleur atroce. Je tourne la tête tout en suffoquant.

Alexandre me regarde, tout sourire. Il tire encore sur mes cheveux, de longues secondes, comme pour casser mon cou en deux. J'ai l'impression que mes cervicales vont se briser une à une. Soudain, Alexandre me gifle violemment.

Je m'effondre sur le sol. Je roule sur des bouteilles de bière laissées là par Martineau. Elles se brisent contre le mur.

Je tousse, incapable de prononcer un mot. Alexandre est déjà à nouveau sur moi, un torchon dans la main. Il l'enfonce dans ma bouche.

Un rictus déforme ses lèvres.

— Ma jolie, tu me répondras en hochant la tête. Si tu as quelque chose d'autre à me révéler, alors je retirerai le bâillon.

Mon Dieu, sur quel détraqué suis-je tombée ?

— Je n'ai pas aimé, ma belle, pas du tout, la façon dont tu m'as jeté.

Du pied, il écrase les écorces peintes, les motifs de plâtre vernis. Chats, soleils, falaises, tortues. Mélangés aux tessons de bouteilles de bière.

Je regarde les débris sous ses pas, il sait que j'ai compris.

— Allez, chérie, tu ne vas pas me faire une maladie pour une pauvre tortue. C'était, disons, une façon de te souhaiter la bienvenue à Veules-les-Roses. De te mettre en condition, si tu préfères. J'avais de grandes ambitions en ce qui concerne cette maison. Tu te rends compte, j'espère, c'est celle où Anaïs Aubert a dormi, en 1826. Dans quelle autre maison aurait-elle pu dissimuler le manuscrit de Hugo ? Et toi qui commandes des travaux, qui décides d'abattre tous les murs. Un véritable miracle ! Une maison seulement gardée par une jolie fille, sa gamine et une tortue. J'avais raison, non ? Tu as fini par trouver cette lettre de Mélingue ! Mais il faut passer aux choses sérieuses maintenant. Où est le manuscrit de Hugo ?

Je le dévisage de mes yeux exorbités. Un infâme filet de bave coule de mon palais et trempe le chiffon âcre. Une nouvelle gifle enflamme ma joue. Des éclairs dansent devant mes yeux.

— Où est le livre ?

Je secoue la tête. Comment convaincre ce fou que je n'en sais rien ? Je me tiens à genoux devant lui, implorante.

— Où est le livre ? Tous les indices convergent, Ariane. Il est ici, il est forcément ici.

Je hoche la tête en signe de soumission. Alexandre s'approche et détache le bâillon.

Je hurle de toutes mes tripes :

— Je n'en ai aucune idée, pauvre taré !

Puisse tout Veules m'entendre !

La claque vole, me déchire le visage. Le tissu visqueux m'obstrue à nouveau la bouche.

110

— Tu mens, ma jolie. Le secret est là, c'est obligatoire. Toutes les autres hypothèses mènent à des impasses. Au minimum, tu as dû trouver d'autres lettres de Mélingue, quelque chose, n'importe quoi.

Alexandre se penche, saisit un tesson de verre brisé et l'approche de ma gorge.

— Tu vas parler ma belle. La solution est ici, entre ces murs, j'ai assez enquêté depuis toutes ces années pour l'avoir compris.

Il va me tuer. Je devine à ses yeux qu'il est capable de m'assassiner, chez moi, pour une chimère qui l'a rendu malade.

Le tesson de verre pique la chair de mon cou. *C'est à ce moment exact que la porte d'entrée a explosé.*

Trois flics surgissent. Alexandre n'a pas le temps de se tourner, il est cloué au sol par quatre bras solides. Un autre policier m'ôte le bâillon. Il me sourit :

— Eh bien, je crois que nous sommes arrivés juste à temps.

Je déglutis. Ma gorge est encore douloureuse, comme si un poison poisseux continuait d'y couler. Je bafouille confusément.

— Co... Comment avez-vous su ?

Le jeune flic s'étonne :

— Eh bien, c'est vous !

— C'est moi ?

— Le coup de téléphone à la gendarmerie, il y a cinq minutes. C'est vous qui nous avez appelés.

19.

Veules-les-Roses, le 29 janvier 2016

Les flics ont embarqué Alexandre et m'ont laissée seule. Je dois passer au plus vite faire ma déposition.

— Oui, oui.

J'ai tout promis. Le temps de m'habiller.

— J'arrive, je vous rejoins à la gendarmerie.

J'ai téléphoné à Élise. En fait, j'ai eu Angelo au bout du fil. Anaïs est bien arrivée. Elle joue dans le jardin. Elle a dormi chez Claire comme si de rien n'était. J'ai pris une longue douche, jusqu'à ce que l'eau soit glaciale.

Ne plus penser à rien.

Puis je suis retournée dans la boutique. J'ai commencé à ramasser les morceaux de bois, de verre, de plâtre. Je me suis mise à genoux, pour faire le tri. Un rayon de soleil a soudain inondé de lumière le sol, telle une poursuite de théâtre éclairant la scène vide.

Je lève les yeux. Il n'existe qu'une ouverture dans la pièce, la fenêtre. Elle donne sur le village, et au-dessus, sur une myriade de villas comme empilées à flanc de versant, comme si chacune s'était installée sans se soucier des autres, avec pour seule logique de bénéficier de la meilleure vue sur la mer. Lorsque j'étais à genoux, bâillonnée par Alexandre, je tournais le dos à la fenêtre.

Je ne suis pas folle !

Je me relève, je saisis mon plus gros pinceau, un pot de gouache noire, une feuille A0 de papier cartonné. J'inscris en lettres énormes :

QUI ÊTES-VOUS ?

Je prends une chaise et je m'installe juste devant la fenêtre. Je pose l'affiche sur mes genoux. Bien lisible, exactement à la hauteur de la vitre.

QUI ÊTES-VOUS ?

J'attends.

20.

Je suis toujours assise sur la chaise devant la fenêtre. Depuis combien de temps ? Une heure au moins. Le téléphone demeure muet. Je resterai assise ici la journée, s'il le faut.

***

Mon premier réflexe est de ne pas en croire mes yeux. C'est d'abord une couleur floue que je distingue, mauve et rouge, une simple tache... une tache de la même teinte, à la nuance près, que le pull acheté à Anaïs, il y a un mois, à la Défense. Son pull d'hiver pour Veules. Ce pull que j'ai rangé hier après-midi dans le sac de ma fille, celui avec lequel Claire devait l'habiller, ce matin. La couleur est apparue derrière la fenêtre de la villa la plus haute du village, la villa aux volets pourpres, une sorte de

115

chalet suisse élevé sur trois étages, agrémenté de tourelles.

Suis-je victime d'une hallucination ? Une de plus ?

Je plisse les yeux, incapable de distinguer davantage. J'insiste pourtant. Je fixe la villa depuis de longues secondes lorsqu'une forme haute et massive assombrit l'encadrement de la fenêtre, comme si quelqu'un s'avançait derrière la tache mauve et rouge. Le pull d'Anaïs, j'en suis maintenant persuadée. L'instant d'après, le point de couleur a disparu.

Je hurle. J'ouvre en fracas la porte d'entrée de ma boutique, je me précipite sans même la refermer dans la rue Victor-Hugo. Je ne suis habillée que d'une chemise ample. Le froid de l'hiver me dévore les bras nus, la poitrine, le ventre. Je m'en fiche. Mes jambes avalent la pente de la rue Paul-Meurice. Je bifurque rue Vacquerie, je lève les yeux un instant pour tenter de me repérer dans le dédale des ruelles bordées de villas. Je monte encore. Les colombages et les volets pourpres sont plus hauts. Je m'engage dans la cavée de Sotteville. L'impasse se termine par une trentaine de marches, que je gravis en quelques foulées. Esplanade des mouettes. Du rond-point, la vue sur la plage de Veules est incomparable. Je n'y prête aucune attention, la villa pourpre est devant moi, dix mètres au-dessus, à droite, le long de la route.

Je cours encore. Je m'arrête brusquement, à bout de souffle, les jambes en feu, debout devant la porte de bois. Je la pousse. Elle s'ouvre.

Comme si on m'attendait.

J'hésite un instant, mais mon instinct maternel repousse avec rage cette ultime prudence. J'entre. J'avance dans un long vestibule poussiéreux. Presque aussitôt, des pas sourds font vibrer le grand escalier de chêne qui s'enfonce vers l'étage.

Mon cœur bat à tout rompre. Une voix joyeuse explose dans le silence.

— Maman !!!

— Anaïs ?

Ma fille dévale les dernières marches de l'escalier, me saute dans les bras.

— Maman, maman, tu as trouvé mes poèmes dans la maison ?

— Oui, oui, merci.

Des larmes coulent sur mes joues. Je ne cherche plus à comprendre quoi que ce soit.

— Je t'ai vue, maman, continue Anaïs dans un sourire d'ange, je t'ai vue tout à l'heure, à la fenêtre. Je t'ai fait coucou, mais je croyais que tu ne me voyais pas. Dis donc, tu as fait drôlement vite pour monter !

L'escalier vibre à nouveau. D'autres pas en descendent, des pas plus lourds. Deux jambes, d'abord, puis une forme haute.

Anaïs bat les mains de joie.

— Papy !

La voix de mon beau-père résonne doucement dans la maison vide.

— Suivez-moi, Ariane, ne posez pas de questions, pas tout de suite, contentez-vous de venir avec moi.

Nous montons l'escalier. Angelo ferme la marche. Le timbre de sa voix est calme. Chaque mot semble prononcé comme s'il avait été mûrement réfléchi :

— Anaïs Aubert fit construire la villa Odéon en 1827, moins d'un an après sa première arrivée à Veules. C'est à l'Odéon que Mlle Anaïs connut presque tous ses succès au théâtre. Elle dirigea elle-même les plans de cette maison.

Anaïs court dans le couloir :

— Viens voir, maman, c'est trop drôle. Chaque fois qu'on change de pièce dans cette maison et qu'on regarde par la fenêtre, on peut voir une autre pièce chez nous, la chambre, la salle de bains, la cuisine. Tout à l'heure, papy m'a prêté ses jumelles, je te voyais trop bien.

Angelo se penche vers Anaïs :

— Ma puce, veux-tu aller jouer dans le jardin ? Il faut que je parle à ta maman.

Anaïs a l'air un peu déçue, mais elle ne discute pas l'autorité de son grand-père. Visiblement, elle connaît déjà la maison comme sa poche, elle descend l'escalier. J'entends une porte qui s'ouvre.

— Il n'y a aucun danger, précise mon beau-père. Le jardin est ceint d'un haut grillage. Il y a encore une vieille balançoire, une table, des chaises. Une vue sup...

Je coupe brusquement la parole à Angelo. Je laisse éclater ma colère :

— Ça suffit maintenant ! On arrête de jouer au chat et à la souris. Vous allez tout me raconter.

Angelo se fend d'un sourire rassurant.

— Bien entendu, Ariane. Bien entendu. Vous en savez déjà beaucoup, je crois. Alexandre était

très bien renseigné. Il avait presque tout compris.
Effectivement, Anaïs Aubert et Victor Hugo furent
amants. Deux amants magnifiques. Ils le demeu-
rèrent jusqu'en 1832, jusqu'à ce que Hugo ren-
contre Juliette Drouet. Hugo se savait tragédien,
Mlle Anaïs se rêvait un destin de tragédienne.
Mais Hugo était marié, trompé par sa femme
Adèle mais marié tout de même et père. En 1826,
c'est bien son amant, Victor Hugo, qu'Anaïs
Aubert a fui.

« *Tout droit cocher, tout droit, jusqu'au bout du
monde, le plus loin possible.* »

Et c'est exact, elle emportait un secret.

Angelo avance de quelques pas. Je le suis jusque
devant la fenêtre du couloir. Soixante mètres plus
bas à vol d'oiseau, on distingue parfaitement la
fenêtre de ma boutique.

— Oui, Ariane, Alexandre avait vu juste,
en partie. Anaïs Aubert a dissimulé son secret en
1826 dans cette maison de pêcheurs où elle fut
hébergée quelques semaines. La maison du bas,
celle que ma famille a habitée pendant des générations, celle que j'ai négociée pour vous, avec Xavier
Poulain, l'agent immobilier, lorsque vous nous avez
fait part de votre souhait de venir vous installer
à Veules-les-Roses avec notre petite-fille.

Les mots se cognent en sortant de ma gorge.

— Un manuscrit original de Victor Hugo, c'est
bien cela ? Un livre ? Des feuilles qu'Anaïs Aubert
a dissimulées ?

Angelo marche encore dans le couloir. Il entre
dans une sorte de vestiaire éclairé d'une simple
lucarne.

— Regardez, Ariane.

Je me hisse sur la pointe des pieds. Par le hublot, je distingue parfaitement, en contrebas, la cuisine de ma maison. Les deux fenêtres sont exactement orientées dans le même axe. Je sens un frisson parcourir mes jambes tendues.

Angelo continue de la même voix monocorde :

— Elle emportait avec elle un manuscrit inédit de Hugo. C'est la rumeur qu'Anaïs Aubert a laissé courir, c'est ce qu'elle a raconté autour d'elle, à Jules Truffier par exemple, pour avoir la paix. Sauf, Ariane, que cette histoire de manuscrit volé était un piège, un leurre, une pure invention. Et Alexandre est grossièrement tombé dedans, comme tant d'autres chercheurs de trésor avant lui. Seul le véritable ami d'Anaïs Aubert, Mélingue, connaissait la vérité.

J'ouvre la lucarne, j'entends la balançoire grincer dans le jardin. Ma voix se perd dans l'atmosphère irréelle de la villa.

— Quelle vérité, nom de Dieu ?

— C'est si simple, Ariane. Si évident. Anaïs Aubert avait vingt-quatre ans, le Tout-Paris à ses pieds, et Victor Hugo dans son lit. L'avenir devant elle. La vérité ne pouvait pas éclater.

Angelo entre dans une nouvelle chambre. Je le suis. De la fenêtre de la pièce, plein ouest, en droite ligne, je découvre la vitre de ma salle de bains. Angelo se tourne vers moi, me prend dans ses bras.

— Ariane, écoutez-moi. Anaïs Aubert était enceinte ! Enceinte de Victor Hugo. Elle a fui Paris lorsqu'il ne lui fut plus possible de le cacher. La comédienne connaissait la règle. Le plus charmant minois de la capitale aurait perdu toute séduction en devenant mère célibataire. Pire encore, si Victor Hugo l'apprenait, quel scandale ! Il venait d'être père de son troisième enfant, Charles, né le 3 novembre 1826. Si cette grossesse adultérine était dévoilée, terminé les rêves de tragédienne, les grands rôles que son amant lui promettait, Blanche, Amy Ropsart... Anaïs Aubert a accouché ici, à Veules-en-Caux, dans la maison du bas. La vôtre aujourd'hui, Ariane. À Veules, les hommes pêchaient de longues semaines et les femmes gardaient les enfants, les leurs et parfois ceux des autres. Anaïs Aubert leur confia le sien. Le fils de Victor Hugo. Ils l'élevèrent comme n'importe quel autre enfant du village. Anaïs revint aussi souvent qu'elle le put. Le reste du temps, Mélingue lui donnait des nouvelles.

Je me suis assise sur le lit épais. Un mince nuage de poussière s'élève dans la pièce, mais je me retiens de tousser. Les pas d'Angelo grincent sur le parquet.

— Par prudence, Anaïs Aubert ne pouvait pas s'approcher de son fils. Il ne devait jamais savoir qui était sa véritable mère. Alors, sur la suggestion de Mélingue, elle fit construire cette villa Odéon. À l'époque, le village ne comptait pas autant de maisons. Les estivants bâtissaient ce qu'ils voulaient où ils voulaient. L'idée de Mélingue était simple : concevoir une villa, au-dessus de la maison de pêcheurs dans laquelle le fils d'Anaïs était élevé, pour que, de n'importe quel endroit, Anaïs puisse observer toutes les pièces de l'autre demeure. Comme si les deux demeures étaient reliées par un couloir invisible ! Ce fut un défi architectural pas bien difficile à relever. Il fallut tout de même modifier l'emplacement de plusieurs fenêtres de la maison du bas, en agrandir certaines, en orienter différemment d'autres, jouer avec les lumières, les ombres, les cloisons. Le résultat fut stupéfiant. De la maison en contrebas, il est impossible de se douter de quoi que ce soit, mais du haut, à l'aide d'une simple longue-vue, Anaïs Aubert put suivre pendant des années tous les apprentissages de son fils, ses repas, ses siestes, ses jeux. C'était étrangement moderne, Ariane, vous ne trouvez pas, pouvoir ainsi surveiller à distance la nourrice qui garde votre enfant ? Élise a lu qu'aujourd'hui certains parents exigent que leur nounou laisse tourner une webcam qu'ils peuvent consulter sur l'écran de leur ordinateur lorsqu'ils sont au bureau.

La poussière me pique les yeux, la gorge. L'étonnant calme d'Angelo rend pourtant incongrue toute colère de ma part.

— Alors c'était vous, Angelo, le regard permanent dans mon dos ? Je ne sais pas si je dois vous maudire ou vous remercier.

— Me maudire, Ariane. Me maudire. Peut-être que si je n'avais pas été à la fenêtre, l'autre jour, si je ne vous avais pas téléphoné dans un réflexe de panique, Anaïs se serait ébouillantée avec la casserole d'eau chaude. Peut-être que si je n'avais pas appelé les gendarmes tout à l'heure, Alexandre, emporté par sa folie, vous aurait planté un tesson de verre dans la gorge. Mais j'ai eu tort de ne pas vous parler de tout cela auparavant. J'ai eu tort de vouloir vous faire découvrir la vérité petit à petit, par exemple en dissimulant cette lettre de Mélingue dans les combles.

Je me lève brusquement. Une impression troublante me hante : Angelo me dissimule encore une part de vérité. La principale, le motif de toute cette mise en scène. Que viens-je faire dans cette folie ? Quel rapport peut-il exister entre la vieille histoire de cette actrice et moi ?

Je me force à hausser le ton.

— Quelle vérité, Angelo ? Quelles révélations ? En quoi l'enfant d'Anaïs Aubert et de Victor Hugo, né il y a près de deux cents ans, me concerne-t-il ?

Angelo hésite. Sa main glisse dans son blouson sombre. Le temps semble s'éterniser dans cette chambre fanée. Mon beau-père finit par extraire de sa poche une feuille blanche pliée en quatre. Il la glisse dans ma main.

J'ouvre la page déchirée.

Page 42.

Je découvre un simple cliché en noir et blanc. La légende est explicite : *Photographie représentant le déjeuner offert par Victor Hugo aux enfants de Veules, parue dans* L'Illustration. *Paris. 7 octobre 1882.* L'écrivain se tient debout au milieu d'une centaine de jeunes enfants, âgés de deux à dix ans, des filles ravissantes dans leurs grandes robes de fête et des garçons sages en costumes de cérémonie et canotiers.

La voix douce d'Angelo rompt à nouveau le silence :

— À la fin de sa vie, Victor Hugo revint souvent, très souvent, à Veules. Il y passa la plupart de ses étés, chez Paul Meurice, son meilleur ami, son exécuteur testamentaire, un proche de Mélingue également. Hugo s'intéressa beaucoup, c'en est même étonnant, aux enfants de Veules.

Mes yeux ne peuvent se détacher de cette vieille photographie. Pourquoi Angelo a-t-il pris la peine de déchirer la page 42 de toutes les brochures de l'histoire de Veules qu'il trouvait ? Que peut bien dissimuler ce cliché ? Tout cela est tellement insensé !

— À croire, continue Angelo, qu'après la mort d'Anaïs Aubert, en 1871, le fidèle Mélingue a fait certaines révélations au grand écrivain.

Mes yeux continuent de s'abîmer à scruter la photographie. Je passe en revue chaque visage d'enfant. Soudain, de la même façon que, parfois, des images subliminales vous sautent à la figure, la vérité explose.

Mon Dieu, est-ce possible ?

La révélation est évidente, invraisemblable, fabuleuse. Je comprends tout en une fraction de seconde. Je me précipite, j'ouvre la fenêtre de la chambre. Anaïs se tient calmement dans le jardin, figée dans une attitude contemplative si incongrue pour une fillette de son âge, si naturelle chez elle pourtant, si naturelle que je ne la remarque même plus. Anaïs scrute l'incroyable vue sur les falaises. Ses lèvres bougent doucement, comme si elle murmurait pour elle-même des mots dont elle seule peut comprendre la magie.

Mes yeux se baissent à nouveau vers le cliché de 1882.

Juste devant Victor Hugo, debout, massif et barbu tel un patriarche, je découvre une petite fille de trois ans. On pourrait même croire qu'elle tient la main du grand-père.

Ce n'est pas une illusion : *la petite fille de la photographie est la sœur jumelle d'Anaïs !* Mon Anaïs qui regarde la mer dans le jardin.

— Jeanne, fait doucement Angelo. Elle se prénommait Jeanne. Elle avait un peu plus de trois ans sur la photographie, lorsqu'elle rencontra son grand-père, Victor Hugo. Sa grand-mère, Anaïs Aubert, était morte quelques années avant qu'elle naisse.

Angelo laisse passer un long silence. Il déglutit avant de poursuivre :

— Jeanne était également ma grand-mère. Je l'ai bien connue, elle est décédée dans la maison du bas, rue Victor-Hugo, en avril 1969. Vous avez compris Ariane, les descendants de Victor Hugo et d'Anaïs Aubert demeurèrent au village. On bouge peu lorsqu'on habite un aussi joli décor, surtout lorsque l'art et la poésie coulent dans votre sang. Ou si l'on bouge, on y revient. Excusez-moi encore, je n'ai pas voulu que vous deviniez trop rapidement. Vous savez, Ariane, toute notre dynastie n'a pas systématiquement hérité de ces dons artistiques. Moi, par exemple, j'en suis assez dépourvu. Notre petite Anaïs, en revanche... Mon Dieu, quel talent ! Beaucoup, beaucoup plus que Ruy. Et pourtant, mon Dieu, comme nous étions fiers de Ruy à son âge, ô combien

125

nous étions persuadés de son génie ! Allez savoir Ariane, quelle est la part de l'hérédité et quelle est la part du regard que nous portons sur nos enfants, du regard que vous porterez sur votre petite Anaïs désormais, maintenant que vous savez qui fut son arrière-arrière-arrière-grand-père.

Angelo avance d'un pas et me serre fort dans ses bras. Une bouffée de chaleur m'étreint, comme un bonheur enfin concédé.

— Bienvenue dans la famille, Ariane.

21.

Veules-les-Roses, le 1ᵉʳ mai 2016

Le Grenier d'Anaïs s'est ouvert le 1ᵉʳ mai 2016.

C'est un superbe week-end, le premier véritable jour de beau temps sur la Normandie. Dès les premières heures de la matinée, j'observe avec stupéfaction les rues désertes de Veules se peupler progressivement de centaines, de milliers de visiteurs, comme des jonquilles qui poussent en une nuit dans une clairière, comme des animaux de la forêt qui sortent le même jour de leur hibernation. Les parkings débordent, les enfants courent après les bateaux le long de la Veules, des cressonnières aux Pucheux en passant par les Champs-Élysées. La mer se retire à perte de vue comme pour faire plaisir aux familles qui s'aventurent pieds nus loin, loin sur le sable mouillé ; la rue Victor-Hugo redevient piétonne, par la force des choses, prise d'assaut par les flâneurs émerveillés. Des terrasses, des crêpes, des gaufres. Claire, expérimentée, s'est fait aider de deux apprenties et la file devant sa crêperie s'allonge inexorablement. Du monde, du monde partout, du monde chez moi.

Les visiteurs sont surpris. « *Tiens, une nouvelle enseigne !* » Veules est un village d'habitués.

Ils viennent, ils entrent dans le Grenier d'Anaïs. En quelques heures, j'ai vendu des dizaines de pièces, j'ai déjà réalisé un joli petit chiffre d'affaires, encourageant pour un début. Les compliments des visiteurs, surtout, m'ont rassurée.

Anaïs sourit et joue à la marchande. Elle donne des conseils, elle tire les clients par la manche et leur désigne les objets qu'elle préfère. Ce n'est pas seulement le génie de l'écriture qui coule dans ses veines, c'est aussi celui du charme, du sens de la formule et du commerce.

Angelo et Élise sont passés eux aussi, bien entendu.

Même Gilbert Martineau est venu, bougon au milieu de la foule, faisant semblant de davantage regarder l'impeccable aménagement de la boutique, son œuvre, que mon exposition. Incrédule, devant la foule en extase.

Je l'entends ruminer en fixant les poutres.

« *Ces Parisiens, ils achèteraient n'importe quoi !* »

Un jeune trentenaire, pantalon de toile cintré et pull cachemire bleu ciel sur les épaules, obtient un baiser fougueux de sa femme, une petite blonde fine, court vêtue et fraîchement coupée au carré : il vient de m'acheter une tortue peinte sur la planche d'un vieux volet. Soixante-neuf euros !

Martineau observe la scène avec circonspection.

— Tu es un amour ! glousse la fille en collant son décolleté au pull cachemire.

Martineau attend qu'ils sortent, avance, marmonne, mi-gêné, mi-rigolard :

— M'selle Ariane, si j'en prends une pour ma femme, une tortue je veux dire, vous me faites un prix ?

L'Armoire normande

Ils descendirent de la voiture et s'arrêtèrent pour admirer le clos-masure.

Tout était conforme aux photos de l'annonce. Une longue allée de peupliers menant à un adorable manoir de briques et de brocs fleuris, un puits, un colombier et des confettis de fleurs des champs, boutons-d'or, œillets et coquelicots, éparpillés comme pour agacer les impeccables étendues vertes de gazon fraîchement rasé.

— Qu'est-ce que tu penses de notre nid d'amour ?

Diane-Perle prit la main de Gauvin.

— Merci, mon gentil chevalier.

Elle pressa un peu plus fort sa main. Elle le trouva beau, son Gauvinet. Avec ses cheveux blancs et rares, ses rides et ses yeux rieurs à la Roger Moore sur ses vieux jours. Elle eut envie de lui, aussi. Comme cela ne lui était pas arrivé depuis longtemps.

C'était la première fois depuis trois ans qu'ils quittaient le XVe arrondissement pour un week-end en amoureux. Même si leurs enfants avaient abandonné depuis des années l'appartement de la rue du Théâtre, pour se disperser aux quatre coins de l'Europe, Léopold à Amsterdam, Alix à Copenhague et Sibylle à Almería, Diane-Perle avait toujours refusé de s'éloigner de Paris, même pour quelques jours, tant que ses parents étaient là, dans une chambre médicalisée de la clinique des jardins Mirabeau.

Une fortune. Un sacerdoce.

Maman était morte cet hiver, à l'Épiphanie, et Papa n'avait pas survécu au-delà du Mardi gras. Gauvin avait laissé passer le carême et loué le gîte pour le week-end de Pâques.

La Renardière, près de Doudeville, en plein cœur du pays de Caux.

Ils avancèrent main dans la main dans l'allée des graviers, tels de jeunes mariés. C'était la vérité… à quarante-neuf ans près ! Diane-Perle approchait les soixante-neuf ans, mais en avait tout juste vingt quand elle avait dit oui à son Gauvin, son aîné de cinq ans.

— J'adore, mon chevalier ! J'adore cet endroit ! J'adore cette lumière ! J'adore ce parfum !

Gauvin, lui, adorait quand sa Diane se transformait en princesse un peu extravagante, exagérante, surjouait l'euphorie avec l'énergie d'une mauvaise actrice.

Elle lui prit la main.

Une actrice volubile et tactile.

— Merci, mon Gauvinet !

Câline et coquine.

Pour un peu, il l'aurait entraînée hors du chemin, pour l'embrasser, la caresser, pourquoi pas même lui faire l'amour derrière l'un des pommiers du verger qui s'étendait derrière la haie. Après tout, ils étaient un peu en avance. Ils l'avaient fait souvent, l'amour dans les champs, il y avait longtemps.

Il tenta un pas de travers. Pour voir...

Diane-Perle suivit. Pas sûr qu'elle ait pour autant compris.

Un pas de plus ? se demanda Gauvin. Oser ? Passer derrière la haie ?

Il posa une main sur la taille de sa femme.

— Arrête, eut-elle seulement le temps de protester.

Le cri les fit sursauter.

Un cri d'horreur, bref, puissant, strident.

Par réflexe, Diane-Perle se réfugia contre Gauvin qui, sur le coup, sembla plutôt ravi. Il contrôlait la situation avec ce flegme britannique qui l'avait tant charmée toutes ces années, et encore plus souvent énervée.

— L'inconvénient de la campagne, ma chérie. On tue le cochon, ou le mouton... La nature. La vraie vie. Ils pourront te montrer comment on vide un lapin ou plume un poulet si tu veux.

Diane-Perle tremblait encore, à demi rassurée.

Quelques secondes après, ils frappaient à la porte de chêne du manoir. Une fois, deux fois.

Ils insistèrent un long moment, Gauvin fit même le tour de la façade pour regarder par la fenêtre la plus basse ; sans succès, les rideaux étaient tirés. On ne distinguait qu'une ombre floue s'agiter derrière le verre dépoli d'une lucarne, sous le chien-assis.

Cinq minutes plus tard, enfin, la porte s'ouvrit.

Un homme d'une cinquantaine d'années se tenait devant eux. Décoiffé, essoufflé, manches retroussées, col déboutonné sous une tête ronde et rouge couverte de sueur.

La nature, la vraie vie, repensa Diane-Perle, imaginant les cadavres de poules et de canards dans l'arrière-cuisine.

— Monsieur Lefebvre ?

Gauvin lui tendit une poignée de main franche.

— Gauvin Baudricourt. Nous avons loué pour la semaine.

Lefebvre le fixa avec une mine ahurie, comme s'il se demandait de quoi il parlait. Enfin, son esprit atterrit et il sembla comprendre ce que ces deux visiteurs venaient faire ici.

— Ah oui. Oui. Heu… Entrez.

L'intérieur du gîte était décoré avec goût. Dans des tons doux, des teintes vieillies, rappel subtil du temps qui s'écoule et donne une valeur aux objets les plus banals : des tommettes en brique au rouge élimé ; des meubles de bois clair aux teintes usées ; des fleurs séchées à l'éclat fané.

Les choses, comme les couleurs, passent-elles ? pensa Gauvin, inspiré.

— Joli chez vous, commenta-t-il en laissant traîner le regard.

Diane-Perle décida de prendre les choses en main. Après tout, si c'était son mari qui avait déniché ce joyau romantique sur Internet, c'était elle qui avait réglé tous les détails. Gauvin se faisait toujours avoir. Trop gentil, ça se lisait jusque dans ses mails !

— Mme Lefebvre n'est pas là ?

— Heu...

— C'est-à-dire que c'est avec elle que j'avais vu tous les détails.

— Elle... Elle arrive. Elle ne va pas tarder.

Diane-Perle avait employé le mot « détails », mais ce n'en étaient pas. Elle gardait en tête la liste précise des exigences qu'elle avait annotées au contrat. Le linge de maison, l'accès à la machine à laver et son fonctionnement, les draps, les étendoirs, l'accès à Internet pour Gauvin...

Ils restèrent dans le couloir, à attendre Mme Lefebvre, sans même savoir si elle les rejoindrait dans deux secondes ou dans deux heures.

— Pendant qu'elle arrive, vous pouvez peut-être nous faire visiter ?

— Heu, oui.

Le tour de la maison fut long. Lefebvre hésitait, bafouillait, en s'attardant comme il pouvait sur les questions techniques qu'il maîtrisait. La minuterie de l'escalier, les portes à bien refermer, le parquet qui grince, les poignées qui coincent, la kitchenette à brancher, la douche à régler, la clim dont on n'a pas besoin. Diane-Perle le harcelait de questions précises auxquelles il répondait invariablement : « *Ma femme vous expliquera.* »

Diane-Perle haussait les épaules, vaguement exaspérée, autant par l'ignorance de l'hôtelier que par le sourire amusé de Gauvin.

La chambre enfin...

À l'image du manoir, son charme reposait sur l'usure des années, la fatigue du papier peint, l'équilibre fragile du baldaquin, la patine des boiseries… comme spécialement conçue pour rassurer les vieux mariés.

La pupille de Gauvin pétilla lorsqu'il observa la largeur du lit, l'épaisseur du matelas et la blancheur des dentelles flottant autour. À l'inverse, Diane-Perle, après une brève inspection de la propreté des draps, tourna le dos au baldaquin, admirative devant la splendide armoire normande qui occupait la moitié du mur.

— Superbe, fit-elle, impressionnée.

Un chef-d'œuvre d'ébénisterie ! Les vantaux et la corniche de l'élégant meuble n'étaient pas ornés des classiques corbeilles de fruits sculptés, gerbes de blé et autres bouquets de fleurs, mais d'un cortège d'animaux, des plus bucoliques, papillons, colombes et agneaux, aux plus étranges, une licorne, un hibou, un renard, un serpent. La finesse des motifs stupéfia Diane-Perle. Elle était habituée à chiner, à traîner Gauvin du Louvre des antiquaires aux puces de Vanves, mais jamais elle n'y avait déniché une telle pièce de collection.

Alors qu'elle tendait le bras, Lefebvre la retint en un réflexe surprenant, rapide, presque inquiet.

— Surtout pas, madame. Surtout pas.

Diane-Perle agita ses paupières mauves en signe d'étonnement.

— Elle est là pour le décor, récita Lefebvre, soudain intarissable. C'est un meuble familial qui possède une grande valeur pour nous.

Mon grand-père l'a sauvé du bombardement qui a incendié le manoir en 43, il y a laissé trois doigts, brûlés, qu'on a dû lui couper. Avant ça, elle a survécu à l'occupation de 1870, quand les Prussiens ont réquisitionné le manoir. À la Révolution, on raconte que le comte Audibert de Lussan, qui possédait le château avant de le vendre à notre aïeul, s'est enfermé à l'intérieur de cette armoire pendant la nuit du 4 août et y est resté onze jours avant de ressortir.

Gauvin s'intéressait davantage à l'histoire qu'à l'ébénisterie. Il s'approcha du meuble pour faire glisser ses doigts sur les sculptures de bois. Lefebvre le retint encore.

— Non ! N'y touchez surtout pas. Les portes ne tiennent presque plus. Les gonds, les serrures, les charnières, plus rien n'est d'équerre. Si on essaye de l'ouvrir, tout s'effondre comme un château de cartes.

Diane-Perle et Gauvin le regardèrent étonnés. Leur hôte insista, d'un ton devenu professoral, quasi menaçant :

— Vous avez toute la maison, toute la propriété, chaque étage jusqu'au grenier, les vergers, les dépendances, vous pouvez vous y promener, vous y reposer comme bon vous semble, mais je ne vous demande qu'une seule chose : ne touchez pas à cette armoire ! Vous entendez bien ? Elle a une immense valeur pour nous, alors, regardez-la, admirez-la. Mais n'y touchez pas !

— D'accord, fit Gauvin conciliant. Nous serons sages. Promis !

Son œil s'alluma en déviant vers le baldaquin.

Sa femme regardait dans la même direction...
plus pragmatique que romantique.

— Et pour le linge ? demanda Diane-Perle.
J'ai convenu avec votre femme que l'on ferait le
ménage seuls, que nous changerions nous-mêmes
nos draps et nos serviettes, que nous déposerions
l'ensemble de notre linge sale devant la porte. Je
n'aime pas trop qu'on pénètre dans notre intimité,
vous comprenez ? Mme Lefebvre était d'accord.

Gauvin soupira. Diane-Perle n'avait jamais
accepté, toutes ces années, que quelqu'un d'autre
qu'elle s'occupe du quotidien, qu'une femme de
ménage puisse repasser son linge ou passer l'aspi-
rateur chez elle ; elle avait toujours tout assumé
seule, même en cette période dont Gauvin se sou-
venait avec effroi où elle cumulait son boulot de
prof de français, l'éducation de Léopold, Alix et
Sybille, la présidence du club *Quinzième'art*... Alors
en vacances, en gîte ou à l'hôtel, qu'elle puisse
laisser un étranger s'occuper de sa chambre relevait
de la pure science-fiction. Pour un peu, elle aurait
placé une allumette en équilibre derrière la porte
pour être certaine que personne ne pénétrait chez
eux en leur absence. Lefebvre ne s'en offusqua pas.

— Si c'est convenu avec ma femme...

Il sortit.

Gauvin sauta sur le lit, non pas qu'il espérait
batifoler avant le soir, pendant la courte fenêtre
de tir entre le moment où Diane-Perle serait
enfin détendue, et celui où la fatigue lui tom-
berait dessus. Diane-Perle inspectait la poussière
sur les plinthes.

— Bizarre que sa femme ne soit pas là, s'interrogea-t-elle.

— Il l'a tuée !

Diane-Perle se retourna d'un bond. Gauvin en profita pour la coincer entre ses bras.

— Tu te rappelles le cri tout à l'heure ? C'était un cri de femme ! Il l'a assassinée, ça me semble une évidence.

Diane-Perle le dévisagea pour bien s'assurer qu'il plaisantait, puis elle se détacha de son étreinte.

— T'es trop bête ! Va plutôt chercher les valises !

Quand il revint, Diane-Perle avait déjà commencé à personnaliser la chambre : elle avait glissé sous le lit la reproduction de *L'Aiguille creuse* de Monet accrochée au mur (elle détestait l'impressionnisme !) et déplacé leurs lampes de chevet car celle du côté gauche, celui où Gauvin dormait, était inutile puisqu'il ne lisait jamais avant de s'endormir.

— J'ai repensé à ce que tu m'as dit, fit Diane-Perle, qui maintenant inspectait les toilettes.

— Quoi ?

— Qu'il a tué sa femme !

Gauvin était ravi de son coup. Une idée brillante pour épicer leur séjour d'un soupçon d'inconnu, le pimenter d'un frisson. Il adorait ce jeu. Diane-Perle également, auparavant.

— Et alors ?

— Ce type. Lefebvre. Il avait du sang sur son pantalon.

Cette fois, ce fut Gauvin qui se figea. Il n'était pas du genre à remarquer ce type de détail.

— Vrai ?

— Si je te le dis, confirma Diane-Perle, tout en empilant négligemment les rouleaux de papier-toilette.

Gauvin jubilait. Disait-elle la vérité ? Ou bien Diane-Perle avait-elle décidé de le prendre à son propre piège ?

Cette nuit-là, après avoir terminé son premier chapitre et éteint la lumière, elle se lova contre lui et s'endormit presque aussitôt.

Le lendemain matin, il n'était pas 8 heures quand Diane-Perle se leva et ouvrit en grand la fenêtre. Gauvin tira la couette sur lui.

— T'es folle !

— Y a une odeur.

Sa femme était déjà douchée, habillée, parfumée.

— Je descends voir cette Mme Lefebvre. Il n'y a pas de tapis de salle de bains, pas de sèche-cheveux, pas de gobelets. Et je ne vais pas attendre demain pour mettre en route une machine à laver.

Gauvin se réfugia sous les draps, se contentant de crier :

— Demande-lui s'ils servent le petit-déjeuner au lit !

Mme Lefebvre n'était pas là. Son mari déjeunait seul dans la salle, devant un bol de café, levant de temps en temps la tête vers la télé allumée sur L'Équipe 21 où, toutes les trois minutes, les mêmes buts défilaient. Non, sa femme n'était pas là. Mais elle passerait ce soir, ou tantôt si elle rentrait plus tôt, mais qu'ils profitent de la journée, ils avaient du pot, ciel bleu et grand soleil annonçait la météo.

Diane-Perle hésita à remonter dans la chambre, prendre le contrat de location, redescendre et l'agiter sous son nez. Elle n'en fit rien, se contentant de laisser traîner son regard sur les photos du salon, dont celle de leur mariage, impossible à rater, encadrée au-dessus de la cheminée. M. et Mme Lefebvre sous une pluie de riz, unis pour la vie, lui plus mince qu'aujourd'hui et elle plutôt jolie, souriante, appétissante.

Le contraste avec son hôte ce matin, seul à ruminer au bout de sa grande table de bois, était saisissant. Elle le trouvait bizarre. Certes, Lefebvre l'avait intriguée dès la première fois qu'elle l'avait vu, mais au réveil, elle le découvrait différent. Pas méchant, pas effrayant.

Juste... absent.

Diane-Perle et Gauvin passèrent la journée à Étretat, montèrent à la Chambre des Demoiselles, redescendirent déjeuner au bord de la plage avant de grimper de l'autre côté à la chapelle Notre-Dame-de-la-Garde, revinrent éreintés.

Ils ne croisèrent pas Lefebvre après s'être garés, ils aperçurent simplement sa silhouette à l'autre bout de la propriété, occupée à pousser une brouette en direction d'une grange où il devait vraisemblablement entreposer de quoi entretenir le jardin.

Ils entrèrent dans La Renardière, traînèrent, inspectèrent chaque pièce en faisant grincer le parquet, avant de se retrouver face à la porte de leur chambre.

Toujours aucune trace de Mme Lefebvre !

— Va lui demander, proposa Diane-Perle. Va demander à cet ours si sa femme va finir par rentrer dans la grotte.

Gauvin s'était déjà affalé sur le lit, épuisé.

— Puisqu'elle est morte !

Diane-Perle ne releva pas, haussa les épaules et s'avança pour ouvrir la fenêtre. Cette fois, Gauvin sentait lui aussi cette odeur entêtante. Le charme de la campagne, imagina-t-il, des vieilles bâtisses, l'humidité sournoise, le crime invisible des années qui passent, du temps assassin, juste une légère odeur pour dénoncer son sale boulot, le papier qui moisit, le bois qui se putréfie, le tissu qui jaunit.

— Bizarre tout de même que cette femme ne soit pas là, continua Diane-Perle.

Elle tira sur le lit.

— Allez, Gauvin. Go ! Bouge-toi. Va lui demander !

Gauvin n'en avait aucune envie mais toute sa vie, plutôt que de dire « non », à ses élèves, à son proviseur, à ses gosses, à Diane, il avait développé un art subtil de la rhétorique.

— Réfléchis, Diane… Notre hôtesse a sans doute de bonnes raisons de ne pas être là. Imagine qu'ils se soient fâchés avant qu'on arrive, qu'elle ait foutu le camp. Je ne vais pas aller emmerder Lefebvre pour le réglage du four à micro-ondes !

Diane-Perle tira le rideau, résignée.

— Des excuses... Tu trouves toujours des excuses à la terre entière ! Et comme tu n'habites pas sur Mars, ça t'arrange bien.

Cette nuit-là, après avoir terminé son second chapitre, elle ne se pelotonna pas contre son mari. Quand Gauvin rampa sous le baldaquin pour se rapprocher, quand il posa une main sur son sein, elle murmura en se retournant « *Arrête. Pas ce soir. Arrête-toi* ».

Au lit, Diane-Perle ne s'embarrassait pas avec la rhétorique. Ni avec l'art érotique, pensa Gauvin.

Pour s'endormir, il compta et recompta les nuits qui restaient avant la fin de la semaine, se demandant pourquoi Pfizer vendait par boîte de huit les pilules de Viagra.

Le matin du troisième jour, ils croisèrent Lefebvre alors qu'ils partaient pour Varengeville-sur-Mer.

Il ratissait les graviers de l'allée. Le franc soleil du matin faisait déjà scintiller les morceaux de silex concassés.

— Tout va bien ? leur demanda-t-il.

— Quand va-t-on voir votre femme ?

— Y a un problème ? s'inquiéta Lefebvre.

— Non, pas spécialement, mais...

— Tout va très bien, coupa Gauvin en tirant Diane-Perle vers leur Chrysler Sebring.

— Ma femme passera vous voir dès qu'elle aura cinq minutes, lança Lefebvre, le râteau en l'air, alors que Gauvin reculait, vitre ouverte. Elle a dû partir tôt ce matin.

Gauvin entrait dans Doudeville, respectant scrupuleusement les limitations de vitesse, lorsque Diane-Perle hurla.

— Arrête-toi !

— Quoi ?

— Arrête-toi, je te dis !

L'instant d'après, ils se garaient sur le petit parking que Diane-Perle lui désignait, sous une enseigne dorée en forme de gerbe de blé. Diane-Perle entra dans la boulangerie, commanda deux croissants et une baguette aux graines de lin, puis précisa, d'un air naturel qui fit froid dans le dos de Gauvin :

— Nous sommes là pour une semaine. Nous louons à La Renardière.

La boulangère s'extasia quelques secondes sur l'architecture du manoir, la beauté du parc, l'authenticité des chambres et la sympathie des hôtes.

— Mouais, commenta Diane-Perle, comme si la boulangère était déjà une vieille amie capable d'entendre les pires confidences. M. Lefebvre est, comment dire... un peu bourru. Quant à Mme Lefebvre...

— Elle est adorable, se hâta d'affirmer la boulangère. Vous n'allez pas me dire le contraire ! D'ailleurs, vous lui direz bonjour de ma part, cela fait une semaine qu'on ne l'a pas vue à la boutique. C'est plutôt rare, d'ordinaire elle passe tous les jours chercher son pain.

Elle leur rendit la monnaie.

— Elle est sans doute souffrante.

Diane-Perle allait répliquer, mais Gauvin la tira une nouvelle fois par la bandoulière de son sac à main. Il l'entraîna jusqu'à la voiture, espérant qu'elle se tairait tant que les portières ne seraient pas refermées.

Perdu…

— Elle n'est pas malade ! siffla Diane-Perle dès qu'elle fut sur le parking. Lefebvre nous a affirmé que sa femme est partie tôt ce matin.

— Ou alors, elle est très très malade, plaisanta Gauvin tout en passant son pouce sur son cou. Couic…

— Idiot ! En tout cas, ce Lefebvre nous ment, on en a maintenant la preuve.

Gauvin poussa sa femme dans la Chrysler sans cesser de sourire.

— Soit il l'a tuée, soit elle l'a quitté… Meurtrier ou cocu ! Statistiquement, ma chérie, et c'est le prof de maths en retraite qui te le dit, les probabilités sont clairement en faveur de la seconde possibilité.

— Tu m'énerves ! fit-elle.

Avant de lui écraser la baguette aux graines de lin sur la tête.

Lefebvre regardait la télévision quand ils rentrèrent. Des voix d'hommes au fond du salon commentaient l'improbable quadruplé du PSG. Diane-Perle s'attarda dans l'entrée de La Renardière. Pour la première fois, elle remarqua qu'un manteau de femme pendait, accroché au portemanteau. Une longue doudoune grise couleur d'aluminium.

Mme Lefebvre en possédait-elle plusieurs ?

— Votre femme n'est toujours pas là ? demanda Gauvin, assez fort pour couvrir la télé.

Lefebvre attrapa la télécommande et baissa le son à contrecœur.

— Elle va rentrer tard !

Diane-Perle pinça son mari alors qu'ils montaient en silence l'escalier vers leur chambre. Elle lui murmura à l'oreille :

— Tu n'aurais pas dû insister. Il va se douter que nous le soupçonnons.

Elle tremblait vraiment, au point de ne pas trouver ses clés. Gauvin en profita pour faire courir ses doigts sur son dos, mi-caresse, mi-araignée.

— Nous sommes devenus des témoins gênants, ma chérie, il va venir nous liquider cette nuit !

Il fit mine de déglutir, avant de poser sur le cou de sa femme un baiser de vampire.

Elle leva les yeux au ciel en ouvrant enfin la porte, qu'elle referma à double tour.

— Et cette odeur ! Par Notre-Dame de Nazareth, cette odeur !

Cette nuit-là, Diane-Perle ne ferma presque pas l'œil.

Bien fait pour Gauvin !

Elle avala une vingtaine de chapitres sans se soucier que la lumière puisse le déranger. Régulièrement, son regard quittait le livre pour se poser sur le plafond, comme une souris aux aguets. Elle éteignit la lumière vers 3 heures du matin, pour la rallumer d'un coup, à 5 h 30.

Pleine lumière !

Le temps que Gauvin ouvre les yeux, se brûle les rétines aux ampoules du plafonnier suspendu au-dessus du baldaquin, agite les paupières pour éclipser les éclairs verts qui dansaient dans son crâne comme s'il s'était endormi sous les lasers d'une boîte de nuit, sa femme avait déjà sauté du lit.

Il la découvrit à quatre pattes, occupée à passer un chiffon sous l'armoire normande.

Elle se releva enfin et colla le tissu sous le nez de son mari.

— Du sang !

Gauvin fixait sans réagir, de ses yeux encore endormis, les taches sombres sur le chiffon clair.

— Du sang, mon Gauvinet. Et crois-moi, je sais le reconnaître.

— Personne n'a dû faire le ménage là-dessous depuis des mois, soupira Gauvin en se retournant.

— Du sang frais. Moins d'une semaine !

Résigné, Gauvin s'assit sur le lit. Il ne pouvait le nier, l'odeur de putréfaction dans la chambre était de plus en plus insupportable. Et cette odeur, sans aucun doute possible, provenait de l'armoire normande.

— Pour une fois au moins dans ta vie, chuchota Diane-Perle, ouvre les yeux et prends les choses au sérieux. Ce type a tué sa femme et a planqué le cadavre dans l'armoire ! On dort à côté d'une morte, mon chéri !

Gauvin bafouilla des mots incohérents. À six heures du matin, nu comme un ver et aveuglé par la lumière, sa rhétorique légendaire calait.

— On prévient la police, décida Diane-Perle.

Gauvin se frotta les tempes, ébouriffa ses cheveux.

— Les flics ? Mais qu'est-ce que l'on va raconter ? Des gouttes de sang sous un meuble ? Une odeur de pourriture ? Une femme qui bosse tôt et rentre tard au point qu'on ne l'a jamais croisée ? Ils vont nous rire au nez !

— Ouvre-moi cette armoire, alors !

— Lefebvre nous l'a interdit.

— Taratata ! Bien entendu qu'il nous l'a interdit, s'il y a le cadavre de sa femme dedans.

Gauvin se leva malgré lui, sans même prendre le temps d'enfiler un boxer. Il observa les vantaux fermés à clé. Il ne disposait d'aucun outil pour fracturer l'armoire. Il tenta timidement de passer ses doigts entre les interstices de quelques millimètres en haut des portes. Sans succès.

Diane-Perle remonta la couette sur sa nuisette.

— Quel empoté ! Je vais finir poignardée par un psychopathe uniquement parce que j'ai épousé un type incapable de se servir d'un tournevis.

Alors, pour une fois, Gauvin s'énerva. Un peu. À sa façon. Qui consistait à aligner trois phrases sérieuses en haussant le ton. Ça ne lui arrivait pratiquement jamais ; ça lui offrait un ascendant incomparable sur sa femme, à condition, pour que la méthode reste efficace, de n'en user qu'avec parcimonie.

— Écoute, Diane, on va rester lucide. Tu l'as dit toi-même, et tu t'y connais mieux que moi, cette armoire est une pièce de collection qui vaut une fortune. Je ne vais pas la vandaliser pour des soupçons ridicules.

— Et tu proposes quoi ? Qu'on aille trouver Lefebvre pour lui raconter qu'il y a une odeur dans notre chambre, qu'elle provient de cette armoire, et que cela ne peut plus durer.

— Ce serait assez logique, oui…

Diane-Perle lui lança un regard horrifié. De haut en bas, de bas en haut, comme si elle évaluait si ce vieux corps dénudé valait encore le coup, ou s'il était définitivement bon pour être jeté, à la limite, recyclé.

— Tout ça parce que tu n'oses pas ouvrir cette foutue porte d'armoire !

— Diane, sois raisonnable. C'était un jeu, cette histoire de crime. Nous n'avons aucune raison objective de soupçonner cet homme. Encore moins de lui désobéir. Il nous a donné des consignes précises à propos de ce meuble. On est en vacances, ce gîte est parfait…

— À part l'odeur !

— Dans ce cas, nous n'avons qu'à lui en parler. Comment pourrait-il le savoir ? Tu lui as interdit d'entrer dans la chambre.

Gauvin jeta un œil par la fenêtre. L'aube commençait à éclairer la ligne d'horizon, couvrant d'or les douces ondulations du pays de Caux. Le plateau se réveillait, calme et apaisé, sans se soucier de la mer qui, année après année, lui grignotait les doigts de pieds. Dans l'allée de graviers, il vit passer Lefebvre, déjà réveillé, portant un tablier taché, et dans chaque main une oie décapitée.

Il toussa, tira le rideau, et se tourna vers sa femme. Élever ainsi la voix, lui tenir tête, l'avait excité. Il ressentait un début d'érection, même si le prof de maths en retraite n'osa pas baisser les yeux pour estimer, au degré près, l'angle de l'inclinaison.

L'essentiel résidait dans le constat.

La stimulation.

Quelques gouttes rouges... plus efficaces que quelques pilules bleues.

— Écoute, Diane, conclut-il pour trouver un terrain d'entente. Il n'y a qu'une solution. On enquête discrètement toute la journée, on se renseigne, on recherche quelques indices. De mon côté, je tente de trouver un outil. Et si ce soir, la mystérieuse Mme Lefebvre n'est pas réapparue, j'ouvre cette armoire.

Diane-Perle baissa les yeux en signe de capitulation, murmurant des mots incompréhensibles qui signifiaient sans doute que demain soir, elle serait peut-être déjà morte.

Gauvin avança d'un pas, glissa une main sous sa nuisette.

Après tout, si cette aube était leur dernière...

— Arrête ! fit-elle en sautant du lit avec une énergie retrouvée. On a une enquête à mener ! Habille-toi, mon Hercule ! (Elle posa un dernier regard, amusé, sur l'anatomie de son mari.) Mon Hercule Poirot !

Comme prévu, Diane-Perle et Gauvin passèrent la journée à enquêter. Leur objectif essentiel restait de trouver une trace de Mme Lefebvre.

Main dans la main, ils se promenèrent autour du colombier, se penchèrent au-dessus du puits, se perdirent dans le verger. M. Lefebvre ne leur posait aucune question, il n'avait pas bougé depuis le début de la journée, occupé à consolider au mortier le mur de briques d'un des baraquements.

— Il va la couler dans le ciment, glissa Diane-Perle à l'oreille de son mari. Il le fera dès qu'on aura quitté les lieux.

Et elle se colla contre lui.

Incontestablement, la situation avait du bon, même si Gauvin avait renoncé à l'idée d'entraîner sa femme derrière le colombier ou le plus large des pommiers.

— Regarde, fit soudain Diane-Perle. Regarde le linge.

— Quoi le linge ?

— Il est resté sur le fil depuis que nous sommes arrivés. Personne ne l'a décroché. Si Mme Lefebvre partait tôt et revenait tard comme son mari nous le dit, elle décrocherait tout de même le linge ! Ce manoir est impeccablement tenu, pourquoi serait-elle aussi négligente sur ce point ?

Ils poussèrent leurs inspections, enlacés, pas pressés.

— La boîte aux lettres, Gauvin. Observe, elle déborde de prospectus et de courrier !

Ils continuèrent. Bras dessus bras dessous. Lefebvre coulait toujours son ciment, leur adressait de temps en temps un sourire.

Avec précaution, faisant mine d'admirer les parterres de fleurs, ils tournèrent derrière la grange et marchèrent jusqu'au garage, un bâtiment de briques situé tout au bout du domaine. Sous le toit de tôles, garée à côté d'un 4×4 noir aux imposants pare-buffles, dont Gauvin ignorait jusqu'à l'existence de la marque et du logo, un ours toutes griffes dehors surmonté d'une couronne, ils découvrirent une Twingo vert pomme.

— La voiture de sa femme ! triompha Diane-Perle. Si tu pensais encore qu'elle allait tous les jours visiter sa grand-tante malade, tu as ta réponse. Elle n'a jamais quitté le manoir !

Gauvin ne répondit rien. Il avança dans la grange, évitant de renverser le bric-à-brac d'objets entassés, des pneus, des outils de jardinage, des sacs de terre, des planches de bois et des barres de fer... Un à un, il ouvrit les tiroirs du grand établi.

— Fais attention mon Gauvinet, glissa Diane-Perle en faisant le guet.

Elle le trouva beau ainsi, si droit, si maladroit. Un homme de caractère à sa manière. Un homme de conviction, à sa façon. Quand il revint auprès d'elle quelques secondes plus tard, tenant sous son manteau un pied-de-biche, elle regretta presque qu'il ne lui propose pas un nouveau jeu coquin.

Pas cette fois.

— On va en avoir le cœur net ! se contenta-t-il d'affirmer avec une soudaine détermination.

Ils se retrouvèrent à nouveau dans la cour.

Ils ralentirent presque aussitôt.

Lefebvre s'avançait vers eux, T-shirt moulant, muscles saillants et yeux plissés, façon Charles Bronson, peut-être à cause du soleil qui leur plantait ses rayons dans le dos, peut-être à cause de la masse en fer qu'il tenait à deux mains, collé à son torse. Celui avec lequel il écrasait brique, silex et ciment depuis le début de la matinée.

Gauvin serra le pied-de-biche sous son manteau. Diane-Perle tremblait.

Lefebvre s'arrêta à quelques mètres d'eux, visage crispé, comme s'il avait perdu toute politesse, comme si avec les briques et le silex, c'est aussi le vernis qu'il avait fait craquer.

— Vous n'allez pas vous promener, aujourd'hui ?

Gauvin fit un pas en avant et se plaça entre Diane-Perle et l'homme au marteau. Elle trouva cela incroyablement chevaleresque.

À son tour de le protéger, son Gauvinet.

— Non, fit-elle en faisant papillonner ses paupières mauves. Nous sommes un peu fatigués. La grimpette dans les valleuses hier nous a achevés. Et votre domaine est si joli, autant en profiter.

— Ouais. C'est surtout du boulot à entretenir. Des fois, ça donne envie de tout laisser tomber.

Il joua sous leur nez avec la barre de fer, comme une majorette l'aurait fait avec sa baguette. Ni Gauvin, ni Diane-Perle n'osèrent lui poser la moindre question sur sa femme. Chaque moulinet de la masse semblait signifier : « *Tu parles d'elle, je te fracasse le crâne.* » Sauf que l'un et l'autre se rendaient compte que c'était la première fois qu'ils le croisaient sans lui parler de Mme Lefebvre, et que rien ne pouvait paraître plus louche que ce silence.

Ils restèrent là une éternité, n'osant pas lui tourner le dos. Leur hôte, visiblement, attendait que les clients alimentent la conversation, puis, comme cela ne venait pas, il s'éloigna le premier, sans abandonner son air renfrogné.

Une fois remontés dans la chambre, Gauvin lança le pied-de-biche sur le lit.

— Réfléchissons encore...

Il embrassa tendrement sa femme.

— Je vais pas te le cacher, ma Diane, je ne fais pas le poids face à cette brute. On devrait peut-être tout simplement foutre le camp et oublier tout ça.

— Et vivre avec ce poids sur la conscience ? Impossible !

Elle observa la barre de fer noire et courbe perdue sous les plis de la couette couleur paille, tel un serpent dont le sable ne supporterait pas le poids.

— Ouvre-moi cette armoire, Gauvin, qu'on en finisse !

— Une minute, ma chérie. Je sais que tu détestes quand je raisonne comme un prof de maths cartésien, mais c'est parfois nécessaire. Si j'ouvre cette armoire avec ce pied-de-biche, nous nous retrouverons avec deux possibilités. Seulement deux. Et aucune ne me plaît. Soit elle ne contient pas de cadavre, et alors nous avons saccagé pour rien l'armoire normande de cette pauvre Mme Lefebvre ; soit elle contient bel et bien un corps décomposé, et dans ce cas, nous nous retrouverons témoins du crime d'un psycho-pathe, d'un psychopathe avec qui nous devrons rester seuls, de très longues minutes, le temps que les flics se pointent...

Diane-Perle renifla. L'odeur de puanteur était plus forte que jamais.

— Tu n'es qu'un lâche ! explosa-t-elle soudain.

Et elle se mit à vider tous les tiroirs de la chambre, ceux de la kitchenette, de la salle de bains, de la commode. Elle attrapa un chiffon et le passa sur chaque meuble, dans chaque recoin, cherchant le moindre indice d'un crime commis ici.

Gauvin la regardait, stupéfait, sursautant au moindre bruit.

— Aide-moi, trouillard ! ordonna-t-elle sans baisser la voix cette fois.

Elle voulait pousser le matelas, bien qu'il soit encastré dans le baldaquin.

À deux, unissant leurs efforts, ils parvinrent au bout de quelques minutes à le faire basculer sur le côté.

Ils restèrent figés.

Une chemise était dissimulée sur le sommier. Une chemise de femme, blanche, tachée de sang, comme ces chemises dont se couvraient jadis les condamnés avant d'être guillotinés.

Une preuve de plus... mais ce n'était pas de ce bout de tissu glissé sous le matelas que provenait l'odeur de putréfaction.

Cette fois, Gauvin attrapa le pied-de-biche, décidé à agir.

— Diane, commanda-t-il, tu prends le téléphone portable et tu composes le numéro de la gendarmerie de Doudeville. Dès que j'ai ouvert cette armoire, tu les appelles et tu leur expliques tout. Ensuite, nous sortons d'ici, sans récupérer nos affaires, nous marchons vers la Sebring en restant le plus naturels du monde, sans accélérer ni nous retourner.

Diane-Perle acquiesça, serrant son téléphone portable d'une main tremblante. Gauvin osa un regard par la fenêtre.

— Où est-il ?

— Je ne sais pas, je ne le vois plus.

— Tant pis !

Gauvin empoigna le pied-de-biche et, après une brève évaluation, décida de s'attaquer à la charnière du vantail de droite.

À peine avait-il touché le gond supérieur que la porte s'écroula sur le parquet. Puis l'instant suivant, la seconde porte s'effondra. Suivirent ensuite tous les tasseaux, les étagères, et après avoir longuement tangué, les planches de côté basculèrent elles aussi, libérant la corniche qui tomba de deux mètres de haut dans un choc épouvantable.

Les animaux de bois sculptés avaient roulé sur le parquet, papillons mutilés, agneaux à deux pattes, serpents saucissonnés, hibou décapité. Les pièces de la corniche s'étaient déboîtées, tout comme les panneaux d'un des vantaux.

Une catastrophe.

Un vacarme audible jusqu'à l'autre bout de la propriété...

Le meurtrier avait forcément entendu !

Sauf qu'il n'y avait pas de meurtrier. Pas plus de meurtrier que de cadavre.

Dans le bas de l'armoire, sur un drap jauni, gisaient deux rats et une couvée de cinq petits. Tous morts, déjà en partie décomposés, sans doute empoisonnés après avoir ingurgité de la mort-aux-rats déposée dans un coin du manoir. Une infection.

Gauvin, toujours le pied-de-biche en main, explosa d'un rire nerveux, incapable de se contrôler.

La voix beugla dans leur dos.

— Qu'est-ce que vous avez fait ?

Lefebvre, sans attendre de réponse, s'était agenouillé au milieu des débris de l'armoire. Visiblement anéanti, il cherchait à rassembler les morceaux de bois éparpillés, les planches, les chevilles, les animaux, toutes les pièces d'un puzzle constitué avec patience pendant des siècles et qu'un fou, en une seconde, en un coup de vent ou de sang, avait balayé.

Il resta ainsi longtemps, statufié, puis se tourna enfin vers ses hôtes.

— Qu'est-ce qui s'est passé ?

Sous le choc, Diane-Perle avait oublié la disparition de Mme Lefebvre, le chemiser ensanglanté, les mensonges de Lefebvre ; seul comptait le sentiment de culpabilité, celui de l'enfant qui brise un vase pile au moment où les adultes poussent la porte d'entrée.

— Il... il y avait une odeur, avoua-t-elle, penaude, en désignant les rats morts.

— J'ai essayé d'ouvrir, ajouta Gauvin.

Il agita le pied-de-biche dans sa main droite. Lefebvre roulait des yeux plus étonnés qu'énervés. Comme si une telle stupidité dépassait l'entendement.

— Mais pourquoi vous ne m'avez rien dit ? bafouilla Lefebvre. Chaque jour, je vous demandais si tout allait bien.

Sa voix était calme, comme si le désespoir était plus fort que la colère.

Et puis à quoi bon engueuler des abrutis !

Gauvin ne répondit rien. Diane-Perle tenta une autre sortie.

— À vrai dire, cela va vous faire rire, nous ne vous avions rien dit parce que nous avions cru que...

Gauvin toussa, haussa la voix, et continua :

— Nous avions cru que vous étiez trop occupé ! Nous... nous n'avons pas voulu vous déranger.

Diane-Perle bouda, mais n'ajouta rien.

Lefebvre se tourna à nouveau vers les ruines de l'armoire. Les explications des Parisiens semblaient si dérisoires à côté de l'ampleur du désastre.

— Je vous avais prévenus, pourtant. Ce meuble est plus fragile qu'une étagère en verre. Trois cents ans qu'elle était dans la famille. Comment je vais pouvoir réparer ça ? C'est foutu, c'est foutu...

Diane-Perle, malgré les yeux courroucés de son mari, avait attrapé la chemise en sang trouvée sous le matelas, pour la fourrer sous le nez de Lefebvre. Après tout, ils possédaient des circonstances atténuantes. Elle avait même la ferme intention de contre-attaquer, d'insister sur chaque point du contrat négocié avec sa femme qui n'avait pas

160

été respecté... quand un bruit de moteur entrant dans la propriété leur fit tourner la tête.

Une 106, blanche, avançait sur l'allée de graviers, sous les peupliers.

Mme Lefebvre en sortit. Avec la même grâce sautillante que sur les photos dans la salle. Petite, boulotte, énergique.

Le coup de grâce !

— Ça... Ça puait vraiment, murmura Diane-Perle, à peine audible.

Gauvin n'avait même pas écouté, il sortit simplement de sa poche son chéquier ; il griffonna nerveusement et détacha le chèque d'un geste sec.

— Nous sommes vraiment désolés. Nous nous sommes comportés comme des cons, il n'y a pas d'autre mot. Tenez, je sais bien que ça ne comblera pas la valeur sentimentale de votre meuble, ni même sa valeur patrimoniale (il observa encore le tas de planches gisantes), mais c'est tout ce qu'on peut faire, à part encore nous excuser.

Lefebvre attrapa le bout de papier avec mépris. Sans s'en soucier, sans même regarder le montant, concentré sur les débris de bois.

Cinq minutes plus tard, Diane et Gauvin étaient partis, affaires tassées dans la valise, valises empilées dans le coffre.

La honte. La honte de leur vie !

Dès que la Chrysler Sebring eut disparu au bout de l'allée de peupliers, Mme Lefebvre se tourna vers son mari.

Impatiente.

— Alors, combien ?

— 4 000 euros ! explosa Lefebvre.

Sa femme applaudit à deux mains.

— 4 000 ! Joli ! On est loin de notre record, mais pour un couple de profs, je n'aurais pas misé sur autant.

Elle observa les planches dispersées.

— Et 4 000 euros pour une armoire normande pourrie, une chemise déchirée et une couvée de rats morts, ça reste plutôt rentable ! Tu vas pouvoir tout réparer ?

— Ouais ! Faut que ça tienne juste assez pour que tout s'effondre comme un château de cartes dès qu'on touche aux charnières. Pas de souci. J'ai le temps, les prochains Parisiens n'arrivent que dans trois jours.

Mme Lefebvre lui jeta un regard suppliant.

— Je pourrai jouer la tueuse, ce coup-là ?

— Hors de question, fit son mari en souriant. Je suis beaucoup plus crédible que toi en serial killer cauchois !

— S'il te plaît ! La boulangère dit que ça serait bien de changer. Je me vois bien en sorcière du pays de Caux, à ramasser des herbes folles, à laisser du poison traîner, à marmonner avec un chat noir qui court dans mes jupes…

— Ouais, on verra, on verra.

La Chrysler Sebring, un peu avant d'arriver à Rouen, traversait doucement les bois de la vallée de l'Austreberthe. Ni Gauvin ni Diane-Perle n'avaient prononcé un mot depuis leur départ.

Le jour commençait à tomber. La forêt était dense, sombre, déserte.

Diane-Perle repéra un petit chemin qui s'enfonçait entre les arbres, un petit parking de terre dans l'ombre, un peu plus loin.

Elle posa une main sur le genou de son mari. Remonta le long de sa cuisse alors qu'il rétrogradait pour aborder le virage au ralenti. Puis, de l'index, elle actionna le clignotant, tout en murmurant :

— Arrête. Arrête-toi.

Vie de grenier

1.

Tout a commencé un dimanche de mai. Un très beau dimanche.

J'ai conscience que ce que vous allez lire sera difficile à croire. Très difficile.

Alors je vais essayer de vous raconter chaque étape de ce mystère tel que je l'ai vécu. Même si je ne suis pas doué pour ça, pour parler de moi.

Mais Muguette m'est témoin, et elle vous le dira, peut-être mieux que moi : je n'ai rien inventé ! Les faits sont les faits. Défiant la raison, mais bien réels pourtant. J'ai tourné et retourné dans ma tête une façon cohérente de les emboîter. À en devenir fou, à ne trouver qu'une seule issue à laquelle personne n'a cru. Peut-être vous qui êtes plus objectif, moins concerné, étranger à tout ceci, peut-être me croirez-vous ?

Tout commence donc un dimanche de mai.

Je suis assis sur la chaise de mon bureau, devant la fenêtre. Je ne distingue aucun nuage à l'horizon, juste un grand ciel bleu, pas même un peu de vent pour faire trembler les feuilles du saule pleureur ou la surface de la petite mare sous ma fenêtre. Rien ! Rien qu'un magnifique après-midi de mai. Un peu trop beau pour ne pas s'en méfier.

Une pile de trente centimètres de journaux s'élève sur ma droite, alors qu'une dizaine de livres s'étalent à gauche, ne laissant qu'une place minuscule sur mon bureau pour y poser mon ordinateur portable. «*Affaire de la Josacine empoisonnée*», titrent les journaux entassés. D'accord, ce n'est pas le plus original des faits-divers, mais c'est un incontournable, et surtout, je crois dur comme fer à la thèse de l'erreur judiciaire et à l'hypothèse de l'accident domestique que la justice refuse pourtant d'admettre.

Après le succès du tome I, *Crimes sous les pommiers* (je suis très fier du titre) – *Meurtres et faits-divers inexpliqués en Normandie* (le sous-titre a été imposé par l'éditeur), trois réimpressions et très exactement 773 exemplaires écoulés, mon éditeur me réclame le tome II avant l'été. J'ai donc sélectionné dans l'urgence une dizaine de nouveaux faits-divers, exhumés des centaines d'articles de journaux locaux, compulsé et photocopié des milliers de pages d'archives avant de me mettre à la rédaction, une boule au ventre, espérant retrouver cette inspiration qui fit dire à plusieurs hebdos locaux, *Les Informations dieppoises*, *L'Impartial*, *L'Éveil de Pont-Audemer*, que ma plume était à la fois tendre, précise et ironique.

Vous pourrez juger sur pièces !

J'en suis le premier surpris, croyez-moi. Il y a quatre ans, quand j'ai pris ma retraite de contrôleur SNCF, puis quand Florian et Pauline ont quitté la maison pour leurs études, je me suis demandé ce que j'allais bien pouvoir fabriquer de mes journées. J'étais loin de me douter qu'aujourd'hui toute mon énergie serait concentrée sur une occupation aussi passionnante, dévorante même, au point que j'en laisse petit à petit tomber tout ce qui avait tant d'importance auparavant, les sorties vélos avec les copains, les restos mensuels avec les anciens du Rouen-Paris, les week-ends en famille.

Moi qui ai attendu la retraite toute ma vie, sans impatience ni crainte particulière, un peu comme on attend d'aller se coucher après une journée bien remplie, je ressens maintenant un sentiment d'urgence, une sorte de peur de vieillir avant d'avoir tout écrit. Je ne sais pas si vous pouvez comprendre : il existe tant de faits-divers locaux oubliés et qui le demeureront à jamais si personne ne prend la peine de se pencher sur ces destins brisés et ces crimes non élucidés.

Même si ça peut vous sembler ridicule, à cinquante-neuf ans, je fais presque chaque matin le décompte des belles années qui me restent, celles où l'esprit est encore vif, et je peste contre les jours qui défilent si vite. Trop vite pour que je puisse aller au bout de ma passion. Plus qu'une passion d'ailleurs, ma mission.

Je devais en être à peu près là dans mes pensées, lorsque j'ai entendu des pas dans l'escalier. Muguette, forcément.

Elle porte une robe à fleurs, un parfum de printemps, un maquillage coloré. Et je sens qu'elle est montée pour me guillotiner.

— Gabriel, tu ne vas pas rester enfermé toute la journée ?

Clac !

Qu'est-ce que je vous avais dit ?

S'il avait plu, au minimum crachiné, une sympathique bruine normande de mai, un bon petit 10 degrés avec son vent d'ouest frisquet, Muguette m'aurait monté un café en me demandant « *Tu avances bien mon chéri ?* », et m'aurait laissé tranquille tout l'après-midi pour travailler.

Mais aujourd'hui...

— Tu as vu ce merveilleux soleil mon chéri ?

Depuis que j'écris, j'ai compris pourquoi, de Flaubert à Maupassant, la Normandie est une exceptionnelle terre d'écrivains. Pas pour la proximité de Paris, de la mer, des chaumières romantiques ou des abbayes hantées. Non. Aucun rapport. Si les romanciers normands ont de tout temps aligné plus de mots que dans n'importe quelle autre région, c'est uniquement à cause de la météo !

Alors que Muguette pose la main sur mon épaule, je mets très vite au point une stratégie. Malgré le soleil, je ne risque pas grand-chose : quelle activité peut-on bien trouver pour se distraire à Touffreville-la-Corbeline, au cœur du pays de Caux, un dimanche de mai ? Je vais concéder avec diplomatie à Muguette un goûter dans le jardin, une petite demi-heure à papoter, à m'extasier devant les géraniums et les rosiers, et hop, j'y retourne !

— Une si magnifique journée, insiste Muguette. Ce serait un crime de pas en profiter !

Pour toute réponse, je pousse un bâillement d'ours qui hibernait peinard avant que le printemps vienne le réveiller. Muguette sourit, elle est habituée, elle retire sa main de mon épaule et déplie le journal qu'elle tient dans l'autre. Un vrai journal, pas un vieil exemplaire jauni titrant sur un cadavre retrouvé pendu dans le colombier d'un clos-masure.

Le journal d'aujourd'hui.

Idiot que je suis !

Je sens le piège se refermer. Il faut vous dire que si j'adore les faits-divers, je ne suis pas pour autant un manipulateur pervers. Bien au contraire. Si je m'intéresse à ces affaires, je crois que c'est avant tout parce que je n'ai aucun imaginaire. Mon seul plaisir, mon seul talent, c'est de décortiquer avec précision leur mécanique, comme le ferait un horloger s'attaquant à un engrenage complexe. Au fond, je suis un type naïf, simple, basique, pas calculateur pour un rond. Tout l'inverse de Muguette, dont le cerveau semble échafauder en permanence des plans pour me protéger, me distraire, m'aimer, œuvrer à mon bonheur alors que je n'ai rien demandé.

— Allez ouste, Gaby, viens t'aérer les neurones !

J'acquiesce, j'ai encore espoir de m'échapper.

— Tu as raison. Ça va me faire du bien de faire une petite pause. On se débouche une bouteille de cidre sous la véranda ?

Trente minutes et hop, affaire réglée !

— Mieux que ça, mon chéri !

Muguette me colle *Le Courrier cauchois* sous le nez.

Je suis ferré. Roulé. Coincé.

Je regarde le soleil normand en le maudissant définitivement.

Muguette a le triomphe modeste, mais insiste tout de même, comme si je ne savais pas lire.

Dimanche 21 mai 2017. Foire-à-tout
de la Saint-Constantin.
Stade municipal de Touffreville-la-Corbeline.
9 heures-19 heures.
Plus de 50 exposants

Commentaire de Muguette

Ne soyez pas dupes !

Il fait son malin, mon Gaby. Son intéressant, son malheureux, mon petit mari pas calculateur pour un rond, mon pauvre petit chéri que je traîne malgré lui hors de sa caverne pour lui faire prendre un peu le soleil. Mais vous serez d'accord avec moi : s'il met tant de soin à raconter cette histoire de dimanche ensoleillé, ses états d'âme et les calculs mesquins de sa rusée petite femme, c'est que ça le change de tous ses affreux récits de meurtres plus glauques les uns que les autres !

C'est qu'au fond il ne déteste pas tant que cela parler de lui.

Et de quoi me plaindrais-je ? Il me laisse quelques lignes en fin de chapitre pour donner ma version.

Rassurez-vous, je ne vais pas m'en priver !

2.

Je vais vous apprendre quelque chose. Le mot
« foire-à-tout » est à peu près inconnu dès qu'on
franchit les frontières de la Normandie. C'est une
sorte de barbarisme exotique. Partout ailleurs en
France, on parle de vide-greniers, ou à la limite
de brocantes, de braderies, de puces... J'ai acquis
ce précieux savoir lors de longues journées de
vacances passées aux quatre coins de l'hexagone
à piétiner devant des exposants entassés sur des
places de villages ou de longues digues de plages.

Je vais vous confier autre chose. Il n'existe
qu'une activité plus ennuyeuse que se promener
dans une foire-à-tout : en être l'un des exposants !
Passer sa semaine à vider sa maison, à embal-
ler des bibelots, des jouets, des vêtements, à les
ranger dans le coffre de sa voiture, à les déballer
sur les trois mètres linéaires qu'on vous octroie sur
un stade ou dans une salle des fêtes, à attendre,
attendre, attendre, car les seules bonnes affaires
sont réalisées dans le premier quart d'heure.

C'est une règle d'or des foires-à-tout : les objets exposés partent tout de suite... ou jamais ! À la fin de la journée, la somme que vous avez gagnée rembourse à peine le hot-dog-frites que vous avez acheté le midi au pied du barbecue, pour renflouer les caisses du club de foot ou de l'amicale des sapeurs-pompiers.

C'est une sacrée énigme, non ? Pourquoi s'enquiquiner ainsi pendant des jours fériés entiers alors qu'il est aujourd'hui infiniment plus simple, rapide et rentable d'écouler sa camelote domestique périmée sur Internet ? Je crois que j'ai une explication : la crise n'est qu'un prétexte grossier pour justifier l'engouement pour les foires-à-tout normandes et tous les vide-greniers de la planète. En réalité, leur succès tient en trois mots qui n'ont rien à voir avec l'argent : voir du monde.

Formidable ! Moi je ne veux voir personne ! Je ne m'intéresse qu'aux morts et à leurs assassins, tout aussi morts que leurs victimes ; dans leur lit, impunis. C'est mon droit le plus strict, et j'ose même ajouter mon devoir !

Depuis près d'un quart d'heure, je me traîne sur le terrain de foot envahi par la foule de visiteurs. Nous sommes venus à pied avec Muguette. Le stade de Touffreville-la-Corbeline est à huit cents mètres de la maison. Des voitures sont garées sur le bas-côté et le long des talus jusqu'aux hameaux les plus proches, le Bourg-Naudin, le Mont-du-Cul, le Marais. Une file de plusieurs kilomètres ! Une marée humaine. J'ai l'impression que Touffreville-la-Corbeline quadruple sa population.

Ma seule consolation est de croiser d'autres maris gentils qui comme moi marchent au ralenti sur la pelouse (sur laquelle ils adoreraient cavaler avec des crampons) ; tous jettent un regard distrait sur les disques, livres, habits, jouets, tous identiques d'un stand à l'autre.

Muguette s'active. Organisée ! Quand elle se rend à une foire-à-tout, sa stratégie est de toujours se fixer un but précis, de s'attribuer une mission quasi impossible. Quand Florian et Pauline étaient petits, c'était un livre rare, un second vélo pour chez mamy, des cassettes vidéo pas chères, un vieux broc à lait pour le jardin... N'importe quelle quête qui devenait existentielle et qui justifiait d'arpenter toutes les allées, et en cas d'échec, d'y retourner la semaine suivante dans le village d'à côté.

Cette fois, Muguette recherche un escabeau, ou une petite échelle, bon marché, à repeindre, pour la poser contre la façade de notre pavillon et y exposer des pots de fleurs. Le genre de truc introuvable qui va nous occuper tout l'été.

Eh bien non !

Par un coup de chance inouï, Muguette vient de dénicher exactement ce qu'elle cherche, sur l'étal d'un type qui doit halluciner de pouvoir ainsi se débarrasser de son escabeau vermoulu sans même avoir à passer par la déchetterie. Le miracle, me suis-je dit. Une affaire vite réglée... avant que Muguette ne se mette à négocier le prix.

J'attends. Mon regard glisse sur les stands les plus proches. Au fond de moi, je dois bien reconnaître que ce rassemblement de familles se séparant de leurs objets les plus intimes a quelque chose d'émouvant. Des vies entières étalées sur une planche posée sur deux tréteaux. Pour se délester des souvenirs, histoire de ne pas avoir trop de regrets quand il faudra caser le débarras de cette vie dans les dix mètres carrés de la chambre d'un établissement pour personnes âgées. Ou un peu plus tard, dans les deux mètres linéaires d'un cercueil.

Pendant que je poétise, Muguette n'a toujours pas terminé de marchander.

Je piétine sur place et mon regard s'arrête sur le stand d'en face. J'observe. Je philosophe. Je remarque une autre constante des foires-à-tout : elles sont la poubelle du temps.

Tous les exposants bradent les mêmes objets !

Indispensables les mêmes années. Démodés quelques saisons plus tard.

Tous. Sans exception.

Je me laisse attirer par un bac de disques et de vidéocassettes. Droit devant. Dans ma tête, je parie déjà sur ceux que je vais y trouver, identiques à ceux que toutes les familles possèdent. La collection du *Gendarme de Saint-Tropez*, des Angélique, des Bruce Lee, des Star Trek... Des vieux vinyles de Céline Dion, Supertramp, France Gall, Pink Floyd... Je m'approche et observe quelques boîtes de jeux. Un Cluedo, un Puissance 4, un Master Mind. Bien entendu, Florian et Pauline ont eu les mêmes !

Juste à côté se tassent des figurines qui traînaient également chez nous, comme autant de stars

oubliées de milliers de téléréalités domestiques :
un Teletubby (Dipsy), un Razmoket (Couette-
Couette), un Barbapapa (Barbalala).

Je fais encore un pas, impressionné malgré tout
d'avoir possédé un jour la plupart des objets exposés sur cette table.

Deux voitures miniatures sont posées sur un
carton. Une 205 GTI blanche et une Renault
Spider jaune, strictement les mêmes que celles
que Florian collectionnait.

Je tourne la tête à droite, vers le rayon bébé.

Fasciné, j'observe le cheval à bascule, la table
d'éveil, les hochets en forme de sucette ou de
lapin. Tout le monde a acheté les mêmes, me
dis-je, comme pour me raisonner face à ces coïncidences qui commencent à m'intriguer.

Tout le monde ?

Mon cerveau bafouille un peu.

Chaque famille possédait ce même cheval
à bascule, celui offert par ma mère à la naissance de Pauline ? Avec sa petite selle rouge, sa
crinière de zèbre et ses sabots argentés ? Cette
même table d'éveil avec ses gros pieds rouges,
son piano à trois touches et ses quatre grenouilles
cachées sous des nénuphars en plastique ? La
même poussette-canne bleu turquoise, décapotable
et ultramaniable, identique à celle que j'ai choisie
avec Muguette, pour la naissance de Florian, il y
a vingt-cinq ans ?

La femme qui tient le stand me regarde en
souriant. Une femme un peu forte qui doit avoir
à peu près mon âge, habillée d'une ample robe
grise imprimée de discrets coquelicots. J'ai sans

doute l'air d'un bon client. Les hommes achètent vite et bien. Sans marchander.

Je lui rends son sourire et continue de détailler la table en laissant le moins possible paraître mon trouble.

À côté des jouets de bébé traînent trois puzzles Walt Disney. *Mulan. Le Roi Lion. Pocahontas.* Pauline et Florian avaient reçu les mêmes, exactement les mêmes !

Je me force à penser que c'est logique. Une simple question de génération. Tous les enfants de leur âge ont regardé les mêmes films. Aimé les mêmes personnages, les mêmes peluches, les mêmes poupées. Je revois Pauline prendre possession du salon avec sa dînette et ses berceaux, m'accueillir quand je rentrais tard du Paris-Rouen accompagnée de toutes ses poupées assises sur le canapé. Impossible pour un papa, des années plus tard, d'avoir oublié leurs prénoms. Charlotte, la blonde à longues tresses, Laura, le poupon chauve et joufflu, Imani, la grande poupée noire et frisée, Kelly, la petite Barbie rousse.

Mon Dieu !

Je crois que j'ai vraiment laissé échapper un juron.

Elles sont toutes là !

Je me rends compte que mes mains tremblent. Charlotte, Laura, Imani et Kelly se tiennent devant moi ! Assises sur la planche. Cinq euros la poupée. Dix euros avec les habits. Souriantes comme si elles reconnaissaient leur papa.

Moi !

Sous le choc, je crois que j'hésite même à les interpeller par leur prénom pour voir si elles vont réagir... Cette simple pensée idiote suffit à me ramener à la raison. Pour éteindre le nouveau foyer de frissons qui naît le long de mes jambes, je me répète que toutes les petites filles du même âge jouaient avec les mêmes poupées. Les voir réunies sur cette même table ne peut pas être autre chose qu'une coïncidence.

La femme à la robe coquelicot me regarde toujours.

Gêné, je plonge les yeux dans le bac de CD. Comme beaucoup d'adultes de ma génération, j'écoute surtout de la chanson française et du rock, mais visiblement les goûts de la famille exposante sont plus récents... et plus hard ! Un peu comme ceux de Florian, mon grand rebelle qui est tout de même parvenu lors de son adolescence à m'insuffler le goût du métal, des riffs de guitare et des refrains scandés auxquels on ne comprend rien.

Je fais glisser les disques les uns après les autres.

— Deux euros le disque, dix euros les sept, précise Mme Coquelicot.

Les préférés de Florian étaient...

Nevermind de Nirvana.

Je feuillette le bac comme on tourne les pages d'un livre. Très vite. Un thriller. Comme je m'en doutais, le bébé nageur est là. Rien d'étonnant. Même si le tremblement s'empare maintenant de mes coudes et de mes genoux.

Se calmer. Se calmer.

Florian écoutait aussi en boucle *The Black Album* de Metallica. Sans surprise, je découvre l'effrayant serpent sur la pochette noire...

OK, testons quelque chose de plus rare. Florian adorait aussi *Ten* de Pearl Jam.

Là ! Je le trouve, coincé entre un album d'AC/DC et un Radiohead.

Je plonge dans ma mémoire, incrédule. Je repense à *Blue Lines* de Massive Attack.

Nom de Dieu, ce disque est là aussi !

Je continue en apnée dans le passé, j'ai l'impression de tout miser, d'y jouer ma santé mentale, je me souviens que Florian vouait un culte particulier à *Act III* de Death Angel. Une nuit, vers 3 heures du matin, il avait réveillé toute la maison en l'écoutant à fond sur sa chaîne hi-fi, avec un casque... qu'il avait oublié de brancher. Il est impossible que ce collector se trouve ici !

Je fouille de plus en plus vite dans le bac à disques. Hypnotisé. Je n'ai pas fait glisser plus de trois CD qu'une bombe explose dans mon cerveau.

Là !

Je reconnais au premier coup d'œil le rideau écarlate sur la pochette d'*Act III*, juste après celle toute verte du Alan Parsons Project.

Aucun des albums préférés de Florian ne manque, même les plus confidentiels !

Je pose une main sur la planche de bois, comme pour reprendre mon équilibre, pour me forcer à réfléchir posément, à évaluer la probabilité que tous ces objets familiers se retrouvent ainsi rassemblés dans deux mètres carrés.

Aucune. Une sur un milliard peut-être.

La femme-coquelicot ne me regarde plus, elle commence à ranger des cartons dans la remorque garée derrière son emplacement.

En profiter ! Je me recule, tire mon téléphone portable de ma poche et dans un réflexe d'une rapidité dont je ne me serais pas cru capable, je mitraille la table d'une dizaine de clichés, le rayon bébé, les habits, les disques, les jouets, les poupées.

Pour me prouver que je ne suis pas cinglé. Pour les montrer à Muguette. Ma femme a toujours eu une meilleure mémoire que la mienne. Elle se souviendra. Elle éclaircira ce mystère.

D'ailleurs, Muguette est toujours occupée à négocier. Je m'approche pour l'entendre conclure au nez du vendeur d'escabeau qui a fini par diviser son prix par deux :

— Non, finalement, je ne le prends pas. En fait, j'en cherche un à cinq barreaux. Je crois que je vais tenter ma chance la semaine prochaine à la foire-à-tout de La Folletière.

Commentaire de Muguette

À ce stade de l'histoire, et sans vouloir gâcher le suspense d'une histoire que mon écrivain de mari raconte si bien, je tiens seulement à préciser que Gabriel exagère beaucoup en ce qui concerne ma passion immodérée pour les foires-à-tout.

Si j'en visite cinq par an, c'est bien le bout du

monde ! Et si j'admets qu'il faut y traîner mon
pauvre petit mari, j'en repars le plus souvent les
mains vides, alors que lui y passe des heures, et en
revient toujours chargé de piles de livres, de disques
et autres improbables trésors dénichés. Comme si les
objets pouvaient eux aussi nous raconter le passé.

3.

J'ai imprimé toutes les photographies prises sur le stand de la femme-coquelicot et les ai étalées sur la table du salon. Muguette les détaille, avant de commenter l'exposition sans chercher à dissimuler la pointe de moquerie dans sa voix.

— Incroyable Gaby ! Tu veux vraiment me faire croire que cette brave femme a eu un garçon et une fille, qui ont l'âge de nos enfants, qu'elle les a promenés en poussette-canne, qu'elle a offert des poupées à sa fille, des voitures et des figurines à son fils, qu'il a écouté du rock et du métal quand il était ado ?

Je ne lui en veux pas. C'est à moi que j'en veux. De ne pas avoir amené Muguette, la veille, devant le stand. Sur place, elle aurait reconnu les poupées, la poussette, le cheval à bascule, les disques. Elle se serait sans doute souvenue de détails, une roue abîmée, un trait de crayon sur une boîte de jeux, une cicatrice sur une figurine... Je n'ai pas osé. Muguette n'est pas la plus discrète quand il s'agit de lui confier des secrets.

J'insiste en lui collant sous le nez un cliché centré sur les poupées.

— Regarde mieux. Tu reconnais forcément la petite famille de Pauline au grand complet ! Charlotte, Laura, Imani et Kelly... La blonde, la chauve, la brune, la rousse. Ses fameuses quadruplées. Réunies !

Muguette esquisse un sourire que je déteste. Le même que quand j'essaye de lui détailler une hypothèse sur la résolution d'un fait-divers.

— Enfin Gaby, quand les enfants étaient petits, on recevait tous les mêmes catalogues de jouets dans nos boîtes aux lettres. Avec exactement les mêmes produits. Les mêmes publicités passaient en boucle à la télé. Toutes les filles du même âge commandaient les mêmes jouets au père Noël.

Je repose la photo. Énervé.

— Une poupée, je veux bien... Mais c'est la somme de ces coïncidences qui est invraisemblable ! Tous nos jouets, tous nos disques, tous nos objets étaient réunis sur cette planche... comme si... (J'hésite.) Comme si c'est notre vie que cette femme a étalée sur sa table !

— Chéri, nous avons acheté des tas d'objets qu'elle ne vendait pas.

— D'accord... mais tous ceux qu'elle vendait, on les possédait !

— Comme des millions d'autres parents... Tu cherches quoi Gaby ?

— Rien… rien du tout. C'est toi qui m'as traîné dans cette foire-à-tout… Je trouve juste cela stupéfiant !

Muguette ne m'écoute déjà plus. Elle s'est installée dans le canapé pour lire le dernier Gilles Legardinier. Ma femme déteste les polars, les mystères, les enquêtes.

J'insiste encore en soulevant une autre photo.

— Et ce cheval à bascule ? Ma mère l'a offert à Pauline, pour sa naissance. Souviens-toi, c'est un objet unique, réalisé par un menuisier qu'elle connaissait. Celui-ci, on ne le trouvait pas en tête de gondole des supermarchés !

Muguette lève les yeux de son livre avec patience, comme on le fait pour un enfant un peu trop insistant.

— Oui mais rappelle-toi, mon chéri, ce cheval à bascule a fini par moisir au fond du grenier. Un jour de grand rangement, tu l'as réduit en planches.

— Tu es certaine ?

— Oui, tu as consciencieusement dévissé les parties métalliques et en plastique, puis tu as scié ce que tu pouvais, et le tout est parti je ne sais où en pièces détachées.

Maintenant que Muguette me le rappelle, je me souviens vaguement de cet épisode. Mais je refuse pourtant de l'admettre à haute voix, sans toutefois oser formuler l'hypothèse que quelqu'un ait pu récupérer les pièces du cheval pour les recoller.

Je continue de fixer les photos, à la recherche d'un autre argument. Muguette ferme doucement son livre et assène d'une voix calme cette phrase que je n'aurais jamais voulu entendre :

— Je crois que tes histoires de faits-divers te montent à la tête.

Non, Muguette !

Pas ça !

Pas cet argument-là !

C'est l'ultime coup bas. Cette façon discrète de me reprocher ma passion, de souligner à quel point elle me mine. M'enferme. Notre unique et récurrent motif de dispute !

Je vous donne un exemple ? Je sais bien qu'il n'y a rien de plus gênant que d'être pris en étau entre la double mauvaise foi d'un couple d'amis, mais c'est pour que vous compreniez. Dans un mois, nous allons fêter nos vingt-cinq ans de mariage. Muguette avait imaginé qu'on parte une semaine à Venise, la destination de notre voyage de noces, mais j'ai ce foutu tome II des mystères de Normandie à rendre.

« *Juste après ma chérie* », ai-je promis un soir. « *Juste après avoir terminé ce bouquin, au bout de vingt-cinq ans, on n'est tout de même pas à trois mois près* ». J'ai raison n'est-ce pas ? Je recherche un compromis ? Sauf que Muguette est partie s'enfermer dans la cuisine et du coup, je suis monté dans mon bureau.

Cette fois-ci, je reste dans le salon. À ressasser. À ruminer. Muguette mélange tout. Cette coïncidence n'a rien à voir avec mes enquêtes sur les crimes des environs. Simplement, si on raisonne de façon rationnelle, on est bien obligé de trouver nulle la probabilité qu'exactement les mêmes objets se retrouvent dans deux maisons distinctes.

Je déclare en me levant, triomphant :

— On va en avoir le cœur net !

Muguette éclate de rire, mais c'est parce qu'elle lit Legardinier.

J'ajoute d'une voix déterminée :

— La plupart de ces objets, on ne les a pas jetés. Il suffit de les retrouver et on sera fixés.

Commentaire de Muguette

Si tu savais comme je t'adore quand tu t'énerves, mon chéri. Je préfère mille fois qu'on se dispute à un long silence chacun de notre côté. Une porte qui claque à une porte fermée. L'orage qui gronde de temps en temps plutôt qu'un long climat tempéré.

Je sais bien que les gondoles et le grand canal seront encore là en septembre. Mais tu m'en voudrais, n'est-ce pas, si je ne me montrais pas impatiente ?

Quant au reste, c'est toi qui l'as écrit, mon chéri : tu ne peux en vouloir qu'à toi-même !

4.

— Bonjour, madame. Gabriel Espinasse, je suis l'auteur de *Crimes sous les pommiers*. Vous... Vous vous en souvenez peut-être ? J'étais venu consulter des archives municipales il y a quelques années.

La secrétaire de mairie me fixe d'un air méfiant.

— Ah oui ?

Visiblement, elle ne fait pas partie de mon club de lectrices inconditionnelles.

— Voilà, en fait, c'est tout simple, une petite formalité, j'aimerais connaître le nom des exposants à la foire-à-tout de dimanche dernier.

— Pour en faire quoi ?

Je tente d'impressionner la préposée.

— Hum... Disons que... C'est assez confidentiel... C'est pour une de mes enquêtes...

Je pose sur le guichet la couverture vert et rouge d'un exemplaire de mon best-seller.

— J'avais bien compris. Mais quel rapport entre vos histoires de cadavres et la foire-à-tout de Touffreville ?

Raté !

— Aucun, c'est juste que... hum...

La secrétaire continue de me fixer comme si elle attendait que je lui révèle qu'un des brocanteurs vendait sur son stand l'argenterie d'une famille du village retrouvée carbonisée dans un four à chaux.

Je décide de battre en retraite.

— C'est juste que... Un des exposants possédait un objet... Je n'ai pas osé l'acheter sur le coup, j'ai regretté et je voudrais le recontacter. C'est... c'était le troisième exposant en partant de l'entrée nord du stade. Vous devez avoir un plan, des coordonnées. Je veux seulement connaître son nom, une adresse, un numéro de téléphone.

La secrétaire prend le temps de repositionner la pile de prospectus listant les gîtes d'étape et chambres d'hôtes du village.

— En effet, monsieur Espinasse, nous demandons aux exposants de remplir une fiche avec tous ces renseignements lors de la réservation. Mais une fois la foire terminée. Ouste ! panier...

Ben voyons, prends-moi pour une truffe ! Tu crois qu'on se débarrasse comme ça du plus rusé des enquêteurs cauchois ? J'en ai fait parler d'autres, et plus bornés que toi.

J'affiche mon plus beau sourire tout en clignant un œil complice.

— En fait, je veux faire une surprise à ma femme... Il s'agit d'un escabeau décoratif... La vendeuse portait une robe grise avec des coquelicots et...

La secrétaire me foudroie du regard.

— Monsieur Espinasse, écoutez-moi bien. Je n'ai pas le droit de donner le nom des exposants, encore moins leurs coordonnées. Malgré ce que vous semblez penser, les transactions en foire-à-tout sont strictement réglementées.

Ma veine ! Une bureaucrate !

J'encaisse avec surprise la charge brutale et je tente maladroitement de parlementer.

— Je ne vous parle que d'une vieille échelle en bois pour l'offrir à ma femme et...

La bureaucrate me coupe en se levant brusquement :

— On est un village tranquille, monsieur l'écrivain ! Allez fouiner dans les villages d'à côté si ça vous chante, mais y a pas de faits-divers ici. Pas de secrets. Pas de meurtres cachés (elle tente de se calmer en ajustant à nouveau la pile de prospectus). On ne veut pas voir débarquer les touristes comme à Lépanges ou Chevaline. Alors allez remuer vos mystères ailleurs, monsieur Espinasse. Vous comprenez ?

***

— Je dérange, Muguette ! Je gêne. J'inquiète. Crois-moi, la réaction de cette secrétaire de mairie était disproportionnée. Elle n'a pas envie que je cherche. Elle cache forcément quelque chose !

Muguette m'écoute avec attention, sans même son habituelle pointe d'ironie dans le regard. Merci, Muguette ! Elle me répond presque avec gravité.

— Quelque part, tu as raison mon chéri. Tes livres amusent beaucoup les lecteurs. Tous tes lecteurs. À l'exception de ceux qui sont concernés d'un peu trop près.

— Tu veux dire quoi ?

— La matière première de tes faits-divers, c'est le malheur des gens. Ça fonctionne formidablement, les gens adorent plaindre les autres. Mais n'oublie pas que tes trois sous de droits d'auteur, tu les gagnes sur le dos des victimes.

— Tu penses vraiment ça ?

— Non, mais toi penses-y.

— Et... Tu crois vraiment qu'on pourrait m'en vouloir pour ça ? Vouloir me faire taire ? M'empêcher d'enquêter sur cette femme à la robe coquelicot ?

— Bien sûr que non ! Je te parle seulement de voyeurisme et de jalousie.

Avant que j'ai le temps de répondre, Muguette lève les yeux au plafond, puis les baisse vers moi. Cette fois, j'y reconnais l'ironie. Et pas qu'une pointe.

— OK, mon chéri. Je crois que tu as soulevé une affaire d'État ! Depuis des années, la mairie de Touffreville-la-Corbeline cache un secret ! Tous complices : le maire, sa secrétaire, tous les notables du coin... Tu es l'homme à abattre. Tu connais la chanson, le premier qui dit la vérité... Tu te rends compte, ta fameuse femme à la robe coquelicot, elle s'est renseignée sur notre vie jusqu'à la copier jouet par jouet, jusqu'à connaître la couleur des cheveux des poupées de notre fille et le nombre de grenouilles sur la table d'éveil de notre fils. Tu penses qu'ils ont torturé Nounou Martine pour obtenir toutes ces informations ?

Martine Louvain a gardé Pauline et Florian jusqu'à ce qu'ils entrent à l'école maternelle, comme des dizaines d'autres enfants du village. Nous continuons régulièrement de la croiser, toujours flanquée d'une demi-douzaine d'enfants accrochés à sa poussette.

J'essaye de garder mon calme.

— Je ne plaisante pas Muguette. Mon travail comporte une part de risque. Je travaille sur des affaires de meurtres. Certaines ne sont pas élucidées. Des meurtriers vivent dans le coin, en toute liberté.

Je fais trois pas dans l'escalier pour monter dans mon bureau. Muguette me suit du regard. Je m'arrête pile sous le grand poster représentant la chaîne des Puys d'Auvergne. Une superbe vue aérienne du puy de Dôme, du puy de la Vache, de Pariou, du Sarcoui. Je sais que Muguette tient beaucoup à cette photo, souvenir de nos semaines passées ensemble à randonner, avant que naissent les enfants. Une tente pour deux et un sac à dos chacun, des kilomètres de sentiers de grande randonnée avalés. Chaque été, alors que Pauline et Florian râlaient dès qu'on leur imposait plus d'une heure de balade en montagne, on s'était promis de rechausser les Pataugas lorsqu'ils seraient grands. En remplaçant la toile sous les étoiles par des chambres d'hôtes et nos pique-niques par des étapes gastronomiques.

On le fera Muguette, promis. Dès que le tome II sera bouclé. Ou avant que mon éditeur me commande un tome III, sait-on jamais...

Je gravis une marche supplémentaire et ma silhouette masque le paysage auvergnat. Muguette n'ajoute rien. Peut-être pense-t-elle à la bande de monstres, psychopathes, et autres pervers divers, qui ont débarqué sous son propre toit pour lui voler son mari. Car je sais bien ce qu'elle pense au fond, de ma passion.

Commentaire de Muguette

Non, tu ne sais pas mon chéri.

Tu te trompes.

Je la respecte ta passion. C'est ton choix et jamais, pas une fois, je ne l'ai critiqué.

Reproche-moi si tu veux de ne pas la partager, mais pas de t'en détourner. Même si j'en connais le prix à payer, pour toi, pour moi, pour nous.

Mais si tu veux bien écouter les conseils d'une humble relectrice, il y a un truc qui ne colle pas dans ton chapitre.

Tu commences par cette histoire de foire-à-tout et de femme-coquelicot, puis tu termines sur tes faits-divers sanglants.

Excuse-moi mon Gaby, j'y mets de la bonne volonté, je t'assure, mais je ne vois pas le rapport entre ces meurtres inexpliqués et les poupées de Pauline ou les voitures miniatures de Florian.

5.

Vous commencez à me connaître. Je n'ai pas abandonné aussi facilement.

Je suis retourné à la mairie, j'ai tenté de me renseigner, d'enquêter avec discrétion en interrogeant des amis. Sans succès. Personne ne connaît cette exposante à la robe coquelicot, personne n'a rien remarqué, personne même ne comprend ce que je cherche. Ou fait semblant de ne pas comprendre...

Plus je repense à ce stand de la foire-à-tout, plus je feuillette les photographies, et moins je peux admettre qu'une coïncidence aussi improbable puisse passer inaperçue aux yeux de tous. Alors je me concentre sur ma promesse faite à Muguette. *La plupart de ces objets, on ne les a pas jetés. Il suffit de les retrouver et on sera fixés.* Il suffit d'attendre la bonne occasion.

Quelques jours plus tard, je travaille dans mon bureau, occupé à relire les témoignages des infirmiers du SMUR le soir de l'empoisonnement au cyanure de la petite Émilie, lorsque je vois au bout du parking la voiture de Florian se garer. La voiture de Florian et Amandine pour être plus précis.

Comme chaque fois, je ressens un pincement au cœur en observant mon grand fiston de vingt-quatre ans traverser le petit parking du lotissement pour entrer dans le jardin, tenant la main de sa chérie. Immanquablement, je repense au nombre de fois où j'ai tenu sur ce parking de poche la main de Florian. Ou le guidon de son vélo. Sur trois roues, puis quatre, puis deux, sur des rollers, sur un skate. Le nombre de fois où j'ai tapé dans un ballon entre deux buts improvisés, dans un volant de chaque côté d'un filet de badminton tendu avec une ficelle.

Dire que j'ai cru éternelles toutes ces journées passées à jouer au papa-géant avec Florian sur le goudron du lotissement ! Elles ont duré quoi pourtant ? Dix ans ? Maximum quinze ans ? Coincées entre trente ans de vie avant pour les espérer, et trente ans de vie après pour se les rappeler. Dix, quinze ans de complicité avec Florian. À notre façon. Oh, jamais de grandes révélations, aucune confidence, aucun secret qui vienne du cœur. Mais des conversations interminables sur qui allait gagner le Tour de France, sur la composition des Bleus, sur qui de Santoro ou de Pioline devait jouer la Coupe Davis. Sans oublier la musique, bien entendu.

Des bruits de pas crissent sur le gravier de l'allée. Florian et Amandine passent à Touffreville tous les quinze jours. Florian n'a quitté le nid familial que pour en construire un plus petit avec Amandine. Il y a trois ans. Depuis, même si ça peut paraître fou, je ne me souviens pas d'avoir revu Florian seul ! Je ne me souviens pas davantage de l'avoir entendu prononcer le nom d'un joueur de foot, commenter le résultat d'un grand chelem ou d'un grand prix de Formule 1. Florian reste bien sagement assis dans le canapé à écouter Amandine discuter avec Muguette. Ces deux-là s'adorent, parlent de tout et de rien pendant des heures et Florian hoche la tête, caresse silencieusement et prudemment les bosses de la colonne vertébrale de son amoureuse quand elle est en robe, sa cuisse quand elle est en pantalon, comme s'il aurait suffi qu'il se déconcentre et prononce le nom de Ribéry pour faire fuir en courant sa chérie. Rassure-toi fiston, je ne vais pas te coller cette honte-là ! Alors, lorsque Florian vient, je dis poliment bonjour, je sers à boire, je reste un peu, puis je retourne travailler dans ma grotte. « *Tu devrais lui parler* », a cent fois insisté Muguette, une fois Florian et Amandine remontés dans leur voiture et repartis vers leur appartement de Montivilliers.

Parler de quoi ?

Florian a choisi. Les hommes choisissent toujours la fille qui leur donne l'impression d'être meilleurs, plus fins, moins cons qu'ils ne sont.

— C'est parce que je respecte mon fils que je ne lui parle pas, ai-je un jour répondu à Muguette.

— Eh bien, moi, je crois surtout qu'il pense que tu lui fais la gueule !

Muguette et Amandine conversent avec passion du choix stratégique entre des volets en bois ou des stores électriques, lorsque je descends. La tête de Florian oscille entre sa mère et sa chérie, comme un arbitre de tennis fatigué qui aurait décidé de compter les points du match en s'installant dans un canapé.

— Je peux te poser une question, Florian ?

Florian tourne une tête inquiète vers moi.

— Je voudrais faire du tri dans les vieux cartons. Tu pourrais venir voir avec moi, parmi tes vieux disques, ceux que tu veux garder ?

Muguette fronce les sourcils. Amandine a plutôt l'air amusée. Florian étonné, même s'il a gardé une habitude de son enfance, à savoir l'obéissance à son père.

Quelques minutes plus tard, grande première ! On se tient au milieu du grenier, fils et père.

À ouvrir des cartons ramollis. J'ai stocké sous la charpente les affaires que Florian emportera un jour, quand ce sera son tour de quitter un appartement de centre-ville pour un pavillon tout frais construit, et que l'ado-rêveur-ne-sachant-pas-tenir-un-marteau se transformera définitivement en papa-bricoleur-passant-le-dimanche-à-poser-du-placo. Après le départ de Florian pour Le Havre, j'ai investi sa chambre d'enfant pour en faire mon bureau, j'ai remplacé sur les étagères tous les mangas par des éditions du *Courrier cauchois*, et j'ai archivé avec précaution toute l'enfance de Florian dans des caisses montées au grenier.

Contre une poutre, à moitié recouvert de fibres de laine de verre, un vieux lecteur CD est encore branché. À l'aide d'un cutter, j'ouvre le carton portant l'inscription :

Musique-Florian

Pendant près d'un quart d'heure, mon fils disparaît ! Sa tête du moins, plongée en apnée dans le carton profond, ne ressortant que quelques secondes pour respirer et empiler des CD pour la plupart annotés au marqueur.

Hits années 94-96

Rock français 97

Tubes été 99

Discrètement, je surveille chaque pochette. Pour l'instant, Florian n'a ressorti du carton aucun des albums que j'ai reconnus à la foire-à-tout et qu'il a pourtant écoutés en boucle pendant son adolescence. Nirvana, Metallica et autres Death Angel.

Florian se lève, place un CD dans le vieux lecteur fatigué et appuie sur « play ». Le lecteur fait d'abord un bruit de toupie rouillée, comme s'il allait tourner à vide pour l'éternité, avant que les guitares saturées des Cranberries ne fassent trembler les poutres de la charpente.

« Zombie ».

— Waouh ! fait Florian. Ça, c'était bon !

Il se laisse bercer de longues secondes par la rythmique lente et entêtante, avant d'appuyer sur la touche triangulaire. L'introduction d'un second titre grésille dans les enceintes du lecteur

CD. Quelques accords de guitare sèche ; les plus célèbres des vingt dernières années.

Je crie comme si c'était un jeu de rapidité :

— « Wonderwall » !

— Bien joué, p'pa. C'était cadeau. Et celui-ci ?

Un riff implacable de guitare fait vibrer le plancher poussiéreux.

— Facile ! Lenny Kravitz ! « Are you gonna go my way » !

— Encore un ?

Une mélodie de guitare soudainement apaisée remplace la précédente. Douce mais tout aussi enivrante.

— Les Red Hot ! « Californication » !

— Tu m'épates, p'pa. T'as rien oublié de mes cours de vraie musique, on dirait ?

J'échange un sourire avec Florian. Je me demande depuis combien de temps on n'a pas partagé de tels instants. Des années ? Depuis son entrée au lycée ?

Les titres continuent de s'enchaîner. Florian a mis à tourner un CD de rock français. Avec mon grand garçon, on ne dit plus rien, ou presque. Adossés aux poutres, on se contente d'écouter, de commenter d'un mot la mélodie, en passant parfois plus rapidement sur un titre, en revenant sur un autre, en laissant défiler « Les Nuits parisiennes » de Louise Attaque, l'« Onde sensuelle » de M, « L'Homme pressé » de Noir Désir, « L'Apologie » de Matmatah.

Je profite d'un changement de disque pour oser une question (Florian veut écouter un CD non annoté au marqueur qui l'intrigue). J'hésite un peu, j'ai l'impression bizarre de gâcher ce moment précieux en dissimulant mes véritables intentions à mon fils, puis je me lance presque sans respirer.

— Puisqu'on se fait l'intégrale de ta musique de sauvage, tu n'as pas retrouvé dans le carton *Nevermind* de Nirvana ? Et tes autres métallos préférés *The Black Album* de Metallica. *Ten* de Pearl Jam, *Blue Lines* de Massive Attack ?

Florian me regarde étrangement. La précision de mes souvenirs semble l'étonner.

— Non, p'pa. Bizarre. Aucune trace.

— Et *Act III* de Death Angel ?

Un sourire d'enfant éclaire son visage.

— Putain, t'as raison. Death Angel ! Ça, c'était puissant ! Mais non, rien dans le carton.

Je m'apprête à demander quelques explications, quand Florian enchaîne :

— Je les ai sans doute filés à un copain qui ne me les a pas rendus. C'est de bonne guerre. La plupart des disques qui sont là, je les ai piqués à un pote.

J'hésite encore à lui demander de préciser. Quel copain ? Quand ? A-t-il toujours des contacts avec lui ? Je me sens terriblement ridicule et finalement, je choisis de me taire.

Scorpions fait souffler sur le grenier son « Wind of Change ».

Florian en profite pour déballer d'autres cartons, s'attardant sur celui où sont stockées ses voitures Norev.

— Tiens, remarque Florian, il manque ma 205 GTI et ma Renault Spider.

J'ai l'impression que la charpente vient de me tomber sur le crâne.

Je visualise dans ma tête cabossée les deux voitures miniatures exposées sur le stand de la foire-à-tout. Une 205 GTI et une Renault Spider ! Je ressens une étrange impression, l'euphorie d'avoir eu raison depuis le début, mais avant tout un trouble intense devant l'inexplicable.

— Tu ne les as pas données à un copain ?

— Ma collec de Norev ? Tu rigoles p'pa ! Ça me fait tout drôle d'avoir perdu ces bagnoles. Surtout ma Spider grise.

Je me concentre avec plus de précision sur mon souvenir des deux voitures posées entre les peluches et les jeux de société.

— Elle était jaune ta Spider, mon garçon.

— Grise p'pa, je t'assure.

Je ne réponds rien mais je n'en pense pas moins.

Non, fiston, elle était jaune ! Jaune comme celle sur la photo prise dimanche au stade, posée sur mon bureau, à côté de la 205 GTI blanche.

Florian n'insiste pas davantage que moi. Et à la réflexion, j'en viens à penser que je ne suis plus aussi certain de la couleur de cette vieille décapotable.

Les 4 Non Blondes hurlent « *What's going on !* ».

— Si on excepte les boys bands, médite Florian. C'était quand même excellent les années 90.

— Y avait deux ou trois choses écoutables, ouais.

Visiblement, Florian n'a aucune envie de redescendre retrouver Amandine dans le canapé pour parler de volets roulants. Je m'installe le plus confortablement possible contre une poutre, avec la simple envie de prolonger ce moment. De le renouveler aussi. La saison des festivals commence, pourquoi ne pas proposer à Florian d'aller voir un concert avec moi ?

Au fond d'un autre carton, il vient de tomber sur de vieux albums *Panini Foot*. Saison 97-98. L'incroyable victoire du FC Lens un mois avant la Coupe du monde. Un champion que tout le monde a oublié. Sauf à Lens sûrement. Une idée plus folle encore galope sous mon crâne : réserver, comme quand il avait six ans, deux places dans un stade avec Florian.

Commentaire de Muguette

Je ne voudrais surtout pas gâcher cette sympathique communion entre un père et son fils. Je ne ferai donc aucun commentaire sur Ribéry, les voitures Norev, ou le meilleur buteur de Lens il y a vingt ans...

Mais juste une remarque mon chéri, je t'assure que les femmes, quand les hommes ne sont pas là, ont d'autres conversations que les volets roulants...

Si si, je te jure, et ne le prends pas mal.

Je dis ça pour ta carrière, je ne voudrais pas qu'avec des propos trop sexistes tu perdes tes lectrices !

Ta petite femme un peu jalouse, mais si émue, de tes retrouvailles avec ton, notre, fils.

6.

— Je crois que la mairie dissimule quelque
chose.

— Quoi ? me répond distraitement Muguette,
agitant son chiffon devant les meubles acajou.

Passé le délicieux moment partagé avec Florian
au grenier, les questions sont revenues, plus obsé-
dantes que jamais. En boucle, je repasse l'image
du carton de CD vide, celui où étaient rangées
les voitures miniatures, puis je revois ces objets
manquants posés sur cette planche par la femme
à la robe coquelicot. Comment cette femme a-
t-elle pu nous les voler ?

Je continue de me confier à Muguette.

— Je crois que, sans le vouloir, j'ai mis le
doigt sur une vieille histoire qui dérange. J'ai fait
le tour des éditions locales du *Courrier cauchois*
depuis près de soixante-dix ans, il y a eu plusieurs
affaires étranges dans le coin, des ados disparus,
des décès pas vraiment naturels. Si on regarde
le passé avec un peu de méthode, si on met en

relation des accidents en apparence anodins, alors tout s'éclaire. La boulangère m'a regardé bizarrement ce matin. Et devant l'école, plusieurs parents ont...

Profitant d'un nuage de poussière qui lui chatouille les narines, Muguette éclate de rire.

— Forcément, tu n'arrêtes pas de les harceler depuis trois semaines avec ton histoire de foire-à-tout. À agiter devant leur nez le portrait-robot de cette femme que tu as dessiné. Et qu'elle ne peut pas avoir disparu comme ça... Et qu'ils te préviennent s'ils la croisent...

Le fameux portrait-robot, que j'ai dessiné de mémoire, est posé sur le piano, juste devant Muguette : un croquis pas vraiment ressemblant, je dois bien le reconnaître, d'une grosse femme aux joues rouges. Seule la robe grise à coquelicots peut offrir un indice utile, mais étant donné qu'il a plu sans discontinuer depuis le 21 mai, il y a peu de chances que la fameuse exposante réapparaisse dans une tenue aussi légère.

Même la météo se ligue contre moi !

Après trois semaines d'enquête, je n'ai déniché qu'un indice. Une ancienne nourrice du Mont-de-l'If, un village voisin, ressemble vaguement à mon exposante. Ses enfants ont été scolarisés en primaire à Touffreville-la-Corbeline en même temps que Florian et Pauline. Mais outre que la nourrice semble avoir déménagé depuis longtemps, personne, bizarrement, ne se souvient de son nom.

— L'omerta cauchoise, plaisante Muguette. Le pays des taiseux ! Ou bien autre hypothèse, tu dessines comme un gosse de maternelle.

C'est motivant de se sentir soutenu !

Je m'approche, tout en tenant dans ma main droite un ciseau et dans l'autre un journal. Ça doit me donner l'allure d'un corbeau s'apprêtant à inonder le village de lettres anonymes. Je me penche successivement vers le portrait-robot, puis vers Muguette.

— Je te jure que je découvrirai pourquoi cette femme copie notre vie !

— T'exagères pas un peu Gaby ?

— J'exagère ? Et les poupées de Pauline ? Et les cartons de disques de Florian dans lesquels il ne manque que les CD que j'ai vus à la foire-à-tout ?

— Florian a donné ces disques à un copain !

— Justement ! Nous n'avons plus ces disques et cette femme les vendait. Comme si elle s'était débrouillée pour récupérer tous les objets que nos enfants possédaient.

— Tous ?

— La plupart du moins.

Muguette pose son chiffon et s'assoit sur le petit tabouret devant le piano.

— Donc ta version, Gaby, ce serait que depuis des années cette femme collectionne les objets qu'on sème à droite et à gauche. Comme une fan en quelque sorte, une fille qui serait dingue de, je ne sais pas, Amélie Nothomb, et qui fouillerait dans ses poubelles, irait rendre visite à ses amis, à la nourrice de ses enfants pour récupérer des bibelots oubliés, qui la suivrait jusqu'à la déchetterie pour récupérer les trucs démodés dont elle ne veut plus ?

Exactement, Muguette !

Je jubile.

— Oui. C'est exactement ça.

Pas longtemps.

— Pourquoi elle serait fan de toi ?

Je regarde ma femme droit dans les yeux.

— De nous Muguette. De nous. De notre famille.

— Tu me fatigues...

Elle soulève le couvercle du piano et tape trois notes.

Do mi sol.

Trois notes qui suffisent à me faire taire.

Notre piano est devenu muet depuis que Pauline a déménagé à Toulouse. Avant, notre fille en jouait presque tous les jours. La musique faisait partie de notre vie. Le piano de Pauline, le métal de Florian, les chansonnettes de Muguette. À chaque pièce sa mélodie. Une famille heureuse, c'est une cacophonie.

Aujourd'hui, il ne reste que les chansonnettes de Muguette. Au-dessus du clavier est posée la partition de *La Belle Hélène* d'Offenbach. Plus jeune, Muguette chantait dans une petite troupe régionale qui reprenait des opérettes. Je l'accompagnais toujours dans ses tournées qui n'allaient jamais plus loin que Paris. J'ai mis plus de cinq ans à lui avouer que je ne supportais pas les comédies musicales. Ce jour-là, j'ai eu l'impression de la trahir.

Puis Muguette a arrêté de chanter ; elle est quelquefois retournée avec des copines assister à des représentations, puis plus jamais. À part Muguette, plus personne n'aime l'opérette.

Mi fa sol.

— On y va !

Muguette se retourne vers moi, étonnée.

— Où ça ?

— À Toulouse, voir Pauline.

— Comme ça ?

— Ben oui comme ça ! Tu me reproches toujours de ne pas sortir de ma tanière, de ne plus rien faire de spontané. Alors on décolle, on fait les valises et on descend voir notre fille à Toulouse... On ne l'a pas vue depuis Noël !

— Et ton tome II ?

— Trois jours. On restera trois jours là-bas. Je peux bien consacrer trois jours en six mois à ma fille.

Je pose une main sur l'épaule de Muguette et de l'autre fais glisser mon index sur le clavier du piano.

Fa si do.

Commentaire de Muguette

C'est une belle question, Gabriel. Je me la suis posée pendant des années, depuis que tu m'as avoué que tu détestais Offenbach, Francis Lopez et Georges Guétary.

Oui, c'est une très jolie question.

Faire croire à l'autre que l'on aime ce qu'il aime, est-ce une preuve d'amour, ou une trahison ?

Avec le temps, j'ai obtenu la réponse. Venir me voir chanter pendant cinq ans, m'accompagner sur La Route fleurie *alors que tu n'aimes que le rock* et la chanson à texte, était une preuve d'amour, une immense preuve d'amour.

Des preuves que tu ne m'apportes plus depuis long-temps, mon chéri.

Et confidence pour confidence, toutes ces années, c'est pour toi, uniquement pour toi, que je chantais.

7.

De la terrasse, la vue est spectaculaire sur Toulouse, le canal du Midi, et au loin les Airbus qui décollent de Blagnac.

— Je vous l'accorde, argumente Stanislas en levant son verre vers Muguette et moi, on entend un peu les avions, mais je préfère ça aux collègues ingénieurs qui habitent à l'opposé de la ville et qui se cognent deux heures de bouchons pour traverser Toulouse et venir bosser.

Même si je suis d'une absolue mauvaise foi pour tout ce qui concerne mon gendre, je dois bien admettre que la maison est superbe, la terrasse de teck patinée, la piscine étincelante, le jardin tondu de frais. Un pavillon transformé en palais par la magie « du roi Merlin », comme le disait Pauline quand elle était petite, un palais sur lequel ma fille règne désormais en fée du logis.

Pauline a toujours adoré les fées ! Chaque soir où je ne rentrais pas trop tard, je lui racontais des histoires de fées, ou de gentilles sorcières.

Pauline était une petite fille passionnée de tout, rêveuse, imaginative. Une élève douée et motivée. Bac littéraire. Licence de lettres modernes avec mention, puis spécialisation dans les métiers du livre, en master, à Toulouse. Comme s'il y avait besoin de descendre aussi loin de la Normandie pour dénicher une formation sans débouchés ! La suite s'est déroulée comme dans mes pires cauchemars.

Pauline est tombée amoureuse d'un élève ingénieur en aéronautique. Pauline n'est jamais remontée plus de trois jours à Touffreville-la-Corbeline, Pauline a arrêté ses études dès que Stanislas a été embauché, à la fin de son stage chez DGA Techniques aéronautiques, à Balma. Ils se sont endettés sur vingt-cinq ans pour acheter cette maison, sa terrasse, sa piscine, et la petite fée Pauline s'est transformée en fée Cuisine. Ils veulent un enfant, ça ne marchera pas, pas encore, et pour tout vous avouer, j'en viens à espérer que ça ne marchera jamais. Je sens que c'est la dernière chance pour que Pauline puisse retrouver un jour sa liberté.

Non pas que Stan soit méchant (Stanislas déteste qu'on l'appelle Stan !).

Non pas que Pauline ne semble pas heureuse.

C'est juste que je ne lui avais pas imaginé une vie comme celle-ci.

— Tu les as encore tes poupées ?

J'ai lancé la question l'air de rien, à l'apéritif, chacun devant son rosé pamplemousse et le bol d'olives au milieu.

Muguette me mitraille du regard. Une frappe chirurgicale façon Rafale.

— Mes poupées ? répète Pauline en écarquillant d'immenses yeux étonnés.

J'ai pourtant fait l'effort d'amener le sujet avec délicatesse. J'ai d'abord évoqué nos vacances dans les Cyclades, notre plus beau souvenir à deux, puis à quatre (Muguette soutient que nous avons conçu Pauline à Santorin, face à la caldeira, et avait insisté pour qu'on y revienne dix ans plus tard avec les enfants). Florian avait alors six ans et passait son temps à aligner des voitures censées monter dans le ferry. Pauline prenait un malin plaisir à couper la file, comme on perturbe un convoi de fourmis, en passant et repassant avec sa poussette-canne où s'entassaient ses quadruplées.

Et hop, j'enchaîne sur les poupées !

Si ma ruse grossière n'a pas trompé Muguette, elle a le mérite d'obliger Pauline à répondre sans trop se poser de questions.

— Je ne sais pas, fait-elle. Mes poupées sont restées chez vous, non ?

Je me souviens de Stan et de trois autres de ses copains à l'accent toulousain débarquant devant chez nous en fourgon un samedi matin pour cambrioler en moins d'une heure toute l'enfance de Pauline : meubles, livres, cahiers, jouets, habits.

Un hold-up sordide. Nous laissant juste le vide.

— Non, Pauline. Tu as tout pris.

Pauline se laisse le temps de la réflexion. Elle est toujours aussi jolie quand elle fronce les sourcils. Ce salaud de Stan est-il conscient de sa chance ?

Se rend-il compte qu'il a attrapé dans son filet la plus belle fille du monde ?

— Pas tout, affirme Pauline. J'ai juste emporté ce qui était utile : le bureau, ma chaîne hi-fi, mes livres et mes cahiers de cours. Mais mes jouets, je suis certaine de ne pas les avoir descendus à Toulouse.

Impossible, Pauline !

Je me contente de secouer la tête pour éviter de contredire ma petite chérie devant son mari, mais je suis sûr de moi. Les poupées ne sont pas dans la maison. J'ai tout fouillé. J'ai retrouvé quelques vieux jouets, un tableau d'école, une table à langer, mais aucune poupée !

— Vous n'avez pas eu une inondation ? lance brusquement Pauline.

Merde ! L'inondation ! Elle a raison ! À la fin de l'hiver 2014, on a découvert une fuite au grenier. Une tuile envolée. Certains cartons ont été touchés, on a dû jeter tout ce qui était moisi. Je tente de faire remonter des souvenirs plus précis. Impossible...

Je continue de secouer la tête, de haut en bas cette fois.

— Si.

Ça semble amuser Muguette. Si elle croit que je vais abandonner aussi facilement la partie. Puisque Pauline a une aussi bonne mémoire, elle va pouvoir la travailler !

— Tu te souviens d'elles ?

Je ménage un court suspense, puis je sors une photo de mon sac bandoulière accroché à la chaise.

Quatre poupées alignées. Une noire, une blanche, une rousse, une chauve.

J'ai cru que Muguette allait me jeter le rosé pamplemousse à la figure, ou le ravier d'olives. Après le regard Rafale, ma femme semble hésiter entre l'option Canadair et l'option Bombardier. Je profite de son indécision pour faire glisser le cliché entre les doigts de Pauline. Ma fée feu follette devenue femme au foyer attrape d'abord avec indifférence la photo tendue vers elle, puis d'un coup, son visage s'éclaire.

Un éclair.

Qui me foudroie.

Je me rends compte en une fraction de seconde que tout ce que j'ai vécu, attendu, perdu, ne vaut que pour cet instant-là. Pour cette émotion pure.

Ma fille devenue femme, devenue sérieuse, devenue sexy, devenue certaine de ce à quoi elle a renoncé pour se contenter de ce qu'elle a obtenu, ma Pauline, le temps d'une photographie, est redevenue une petite fille, avec tous les rêves de l'enfance qui remontent à la surface, une petite fille sans complexes, sans garçon à séduire, sans le poids de deux mille ans de condition féminine à porter... Juste une petite fille qui croit dur comme fer que la réalité peut se transformer comme de la pâte à modeler.

Que ses quatre poupées sont vivantes et uniques au monde.

Le doigt de Pauline passe successivement sur les quatre bambins de plastique.

— Charlotte. Laura... Imani et Kelly.

Je repousse une idée sournoise.

Tu les as abandonnées. Comme tu as abandonné ton papa.

— Tu les as retrouvées ! explose Pauline enjouée. Tu les as amenées ?

Mon cœur bat aussi vite que les paupières de Pauline.

Stan regarde sa femme comme si elle était folle.

Faudra t'y faire mon grand, derrière ta fée du logis domestiquée, il y a une fée rêveuse que tu n'apprivoiseras jamais !

Porté par l'euphorie (je tiens ma preuve ! Pauline a formellement reconnu la photo de ses poupées), je m'apprête à raconter toute l'histoire, la foire-à-tout, la femme à la robe coquelicot, la somme des coïncidences, les disques, les voitures, les jeux, le cheval à bascule... quand Muguette m'explose le tibia sous la table.

Façon Redoutable.

***

— Tu es venu à Toulouse rien que pour ça ! Pas pour voir ta fille. Pas pour voir ton gendre. Uniquement parce que tu es obsédé par cette histoire débile !

Muguette est assise sur le lit et ne décolère pas. Quand Muguette est dans cet état, mieux vaut se cacher sous un parapluie et laisser tomber l'averse.

— Chut ! fais-je. Ils vont entendre.

— M'en fiche !

Muguette se lève et marche autour des valises dans la chambre d'amis (ce crétin de Stanislas a insisté avec ce mot au moins cinq fois, « *Chérie,*

on va installer tes parents dans une chambre d'amis ! ».
Ah bon, on ne fait déjà plus partie de la famille ?).

— Est-ce que tu te rends compte ? hurle
Muguette. Tu t'es foutu de moi depuis le début. Ta
seule motivation pour descendre jusqu'à Toulouse,
c'était ton délire ! Une histoire de poupées ! Des
poupées qu'on a dû balancer à la poubelle il y a
des années.

J'attends sagement que la tempête baisse
d'intensité, le temps que Muguette continue de
tourner en rond, puis inspecte la chambre, déballe
les valises, aborde tous les sujets, la maison qui
est d'une luminosité incroyable, Stanislas qui est
un garçon adorable, leur petit couple formidable.

Je préfère encore m'excuser que d'entendre ça !

— Je suis désolé, Muguette. C'est venu comme
ça, dans la conversation, on parlait de la Grèce,
des vacances, des jouets d'enfants...

Peine perdue. Muguette me connaît trop
bien pour mordre à l'hameçon de ma pitoyable
demande de pardon. Faute d'autres arguments,
je décide de me jeter à l'eau.

— Tout de même Muguette, tu as remarqué le
regard de notre fille ? Tu as vu ses yeux s'allumer
quand elle a tenu entre ses doigts la photographie de ses poupées ? Tu ne peux pas nier ça.
Son sourire valait tous les tests ADN du monde.
Pauline les a reconnues !

— T'es un malade, Gaby. T'es un très grand
malade !

***

Le lendemain, en nous rendant au petit-déjeuner, nous passons devant la chambre du futur bébé. Une chambre aux murs blancs, quasi vide à l'exception d'un matelas, de cartons, d'un ordinateur antique et d'une imprimante périmée.

Une salle d'attente. La chambre du bébé tant espéré.

Au milieu de la pièce, comme laissé en semi-liberté, un cheval à bascule patiente.

Muguette n'allait pas le rater ! Elle me tire par la main.

— Regarde Gaby... le cheval ! Le cheval que ta mère a offert à Pauline pour sa naissance. Il est là !

Stupéfait, je détaille la petite selle rouge, la crinière de zèbre, les quatre sabots argentés. Je parviens difficilement à articuler ma question.

— Tu ne m'avais pas dit qu'il était démonté, dans le garage, en pièces détachées ?

— Eh bien, exulte Muguette, Pauline l'a récupéré, remonté, repeint. Ou je me suis trompée. Mais ce n'est pas ça le plus important. Le plus important mon chéri, c'est que si le cheval à bascule attend bien sagement dans cette pièce, un jouet en exemplaire unique, comme tu me l'as si bien rappelé, c'est donc que ce n'était pas lui qui était sur l'étal de ta fameuse foire-à-tout !

OK, Muguette, tu gagnes une manche.

Du moins en apparence.

Parce qu'à observer plus en détail le petit cheval toulousain, je ne suis pas du tout convaincu qu'il soit celui de Pauline. Dans mon souvenir, la selle du cheval à bascule est plus claire, les sabots d'argent moins brillants, les oreilles plus longues. Des petits détails que je t'épargne Muguette, mais qui suffisent à me convaincre que le cheval à bascule exposé à la foire-à-tout de Touffreville est bien celui de ma fille... et celui dans cette chambre un imposteur !

Le petit-déjeuner traîne comme une parenthèse enchantée. Stan est parti faire voler ses avions à Balma et nous récupérons notre fille pour nous tout seuls. Il règne un délicieux bazar dans la maison, Pauline semble libérée.

Je jubile. Je retrouve enfin ma petite fée, vive, drôle, joyeuse, à prendre l'accent occitan pour imiter sa boulangère, à faire pleuvoir une pluie de miettes dans la cuisine en enfonçant des tranches trop épaisses dans le grille-pain, à jongler avec trois oranges avant de les presser, à éclater de rire parce que le pain grillé était carbonisé.

Comment ai-je pu laisser passer plus de cinq mois sans voir Pauline ? À l'instant, je me jure qu'on reviendra souvent, très souvent. Et pas seulement pour cette histoire de poupées... et pas seulement pour notre future petite-fille (car ce sera une fille, j'en suis persuadé).

On reste là tous les trois à profiter du soleil du matin. Je me retiens, je vous jure que je me suis retenu tout le petit-déjeuner.

Puis je vide mon café, je recule ma chaise pour être hors de portée des ballerines de Muguette, je détourne le regard, pour le noyer dans le canal du Midi, et je lance à Pauline :

— Et le cheval à bascule dans la future chambre du bébé ? Il ressemble beaucoup à celui que tu avais à ta naissance ? Tu l'as trouvé où ?

Pauline me répond avec un grand sourire café-au-lait :

— C'est mamy qui me l'a donné !

Commentaire de Muguette

Puisque tu ne me laisses pas beaucoup de place, Gaby, je ne vais me concentrer que sur quelques points précis. D'abord, je te trouve très injuste avec Stanislas, mon chéri. Très touchant avec Pauline, mais bêtement buté avec ton gendre. Je crains pourtant que tu ne doives t'habituer à lui.

Concernant la description de la colère de ta Redoutable, même pour les besoins de péripéties de ton récit, elle est un peu exagérée, tu ne trouves pas ?

Mais surtout, tu te trompes sur un point essentiel, mon Gaby. Quand notre Pauline aura accouché, ne te fais aucune illusion, c'est un petit garçon que nous bercerons !

8.

Je déteste ce lieu ! J'y viens aussi peu que je peux. Si ce récit peut servir à quelque chose, c'est au moins à graver devant témoins ces lignes qui valent testament : je refuse de finir un jour enfermé là-bas !

Ne serait-ce que pour ne pas infliger à mes enfants cette corvée.

Une corvée à laquelle j'échappe le plus souvent, il faut bien l'avouer. La vie à la maison de retraite de maman est organisée, planifiée, minutée par mes deux sœurs qui se répartissent les visites hebdomadaires : Stéphanie le mercredi et Brigitte le samedi. Elles s'occupent du linge, des soins, des papiers, et même de la conversation. À moi, on confie l'exceptionnel, Noël et les anniversaires, mais pour le reste, « *laisse laisse Gaby, ne te soucie pas, on gère* ».

Un peu comme les mamans ne laissent jamais vraiment les papas s'occuper des enfants. Elles ont raison au fond, pas les mamans pour les enfants, ça non, mais les filles pour leur maman. Stéphanie et Brigitte possèdent un talent inouï pour trouver des sujets de conversation, peuvent rester trois heures à étirer le temps en laissant le thé refroidir, la télé en sourdine, et en meublant l'après-midi de quelques mots égrenés.

Moi, les rares fois où je suis allé voir maman dans la journée, en à peine trois minutes, j'avais fait le tour de tout ce que j'avais à raconter. Mes sœurs comprennent, elles savent bien que l'amour ne se mesure pas au nombre de mots échangés. Il existe des complicités muettes, des marques d'affection par procuration, trouver un restaurant pour réunir la famille, un coin sympa au bord de la mer, un musée ou une expo à visiter.

Avant.

Maman a quatre-vingt-onze ans.

— Gabriel, qu'est-ce que tu fais là ? Rien de grave ?

Maman perd un peu la tête, mais conserve une mémoire extraordinaire. Plus les souvenirs sont lointains et plus elle est précise.

— Ne t'inquiète pas. Je passais par là.

— Pas besoin de t'excuser, tu sais.

Même si l'on n'a presque plus rien à se dire, maman me connaît mieux que personne. Décode mes silences. Interprète mes gestes. Cinq mots lui ont suffi pour résumer une vie de non-dits.

Pas besoin de t'excuser.

Si l'on était capable d'échanger, on pourrait passer l'après-midi là-dessus : maman est ravie de ma visite, alors pourquoi ai-je besoin de me justifier ? Ne puis-je pas simplement me contenter d'entrer et de dire « *j'avais envie de te voir maman, je devrais venir plus souvent* » ?

Et je le répète dans ma tête : *Je devrais venir plus souvent.*

On parle des enfants, de Muguette, un peu de mes livres (le tome I de *Crimes sous les pommiers* est posé sur la table de chevet) et pas du tout de ma retraite (qui peut bien imaginer discuter un jour de sa retraite avec ses parents ?). Je me surprends à avoir tenu presque treize minutes. Je laisse un peu traîner le silence et, au moment où maman est persuadée que je vais me lever et filer, je me tasse sur ma chaise, tousse pour m'éclaircir la voix, et réengage la discussion.

— Tu as offert un cheval à bascule à Pauline ?

Maman paraît surprise. Elle bafouille telle une enfant prise en faute :

— Oh, c'est vrai. Excuse-moi... D'ordinaire, on offre un jouet quand l'enfant est né. Mais je sais bien que pour Pauline et Stanislas, ça ne vient pas. Ça viendra, il faut simplement qu'ils soient patients, et Stanislas est vraiment l'homme qu'il faut pour Pauline. Ils feront de beaux enfants. Tu comprends, je me fais vieille. Avec mon cœur qui bat son galop infernal, j'ai eu peur de partir avant que l'enfant arrive. Ou que les mains du menuisier tremblent trop...

— Le menuisier ?

— André. Le copain de régiment de ton père, comme on disait avant. Notre témoin de mariage. Il habite Cagnes-sur-Mer. Tu l'as un peu croisé jusqu'à tes dix ans, avant qu'il déménage. C'est lui qui sculptait ces chevaux à bascule. Il a près de quatre-vingt-dix ans aujourd'hui, mais il travaille encore de ses mains. Presque aussi bien qu'avant.

— Et l'autre cheval, celui que tu as offert pour la naissance de Pauline, qu'est-ce qu'il est devenu ?

— Qu'est-ce que j'en sais ? J'espère bien que vous l'avez gardé !

Je rembobine dans ma tête les paroles de Muguette. Le cheval à bascule oublié dans le grenier, moisi, finalement réduit en pièces détachées. Lentement, je sors la photographie du jouet en bois prise sur le stand de la femme-coquelicot et le tends à maman.

— C'est lui ?

— Oui, c'est lui !

— Tu es certaine ?

— Certaine. Chacun des chevaux d'André est unique vois-tu, adapté au bébé qui vient de naître, la forme des oreilles, la texture de la crinière, la couleur des yeux. Aucun doute, Gabriel : c'est le cheval de Pauline. Je suis contente que vous l'ayez aussi bien conservé.

J'hésite à m'accrocher aux barreaux du lit. Jamais Muguette ne voudra le croire. Il faudrait que je revienne avec elle, que je fasse répéter à maman, que je...

— Tu reviendras me voir ?

— Évidemment, maman.

Je le pense. Je le pense sincèrement. Oui je reviendrai, avec des objets, des photos, des livres, pour parler des souvenirs, de l'avenir... Pour parler de mon livre aussi. Des tas de gens, des inconnus, ne m'adressent la parole que pour me parler de mon bouquin, et je n'en ai jamais discuté avec ma propre mère. Je pose les yeux sur la couverture vert et rouge du volume posé sur la table de chevet, puis je fixe maman avec une angoisse de collégien qui apprend que son bulletin scolaire est arrivé.

— Tu en as pensé quoi ?

Maman sourit.

— Je croyais que tu n'allais jamais me le demander !

Commentaire de Muguette

Et moi, mon Gaby ? Tu as pensé à moi ?

Ton testament, je le retiens, le message est passé, c'est noté, gravé, je devrai te supporter à la maison jusqu'au bout si c'est toi qui vieillis mal le premier...

Mais moi ?

Si j'en ai envie, d'une petite chambre médicalisée avec des infirmières pour me dorloter ? De me retrouver avec d'autres petites vieilles à jouer aux dominos ou à faire du tricot ?

Tu ne me suivrais pas ? Tu ne viendrais même pas me voir, mon Gaby ? Avec des photos et des objets pour me rafraîchir la mémoire ?

Tout dépend, je sais, tout dépend de qui perdra la boule le premier.

Puisque tu aimes bien prendre les lecteurs à partie, tu peux leur demander leur avis.

Je crois que t'es bien parti mon chéri :))))

Je plaisante ! Tu as vu les sourires que j'ai ajoutés, comme Pauline me l'a appris ?

Je plaisante, Gaby. J'espère bien qu'on sautera ensemble, à pieds joints et en se tenant la main, dans la folie des temps gris.

9.

Dans les jours et les semaines qui ont suivi, j'ai tenté de me reconcentrer sur le tome II de *Crimes sous les pommiers*. J'y suis parvenu comme j'ai pu, tout en maudissant cette folle affaire de foire-à-tout qui demeurait un mystère absolu.

J'ai continué d'enquêter, en secret, sans que Muguette n'en sache rien. J'ai activé mon réseau, des anciens parents d'élèves, des amis de la bibliothèque, des employés des mairies alentour. J'ai continué de diffuser le portrait-robot, et l'étau se resserrait autour de cette ancienne nourrice du Mont-de-l'If dont les enfants avaient fréquenté l'école les mêmes années que Pauline et Florian. Une certaine Sylvie Tonneville. J'avais enfin trouvé son nom !

Mes sources mentionnaient que Pauline aurait pu faire du cirque au collège avec la fille de cette Sylvie, que Muguette aurait pu être élue parent d'élèves en même temps qu'elle, mais que depuis, elle avait divorcé, déménagé, s'était sans doute remariée puisque je n'ai retrouvé aucune trace d'une Sylvie Tonneville sur l'annuaire ou sur Internet. En résumé, une mère d'élève anonyme dont les enfants avaient peut-être croisé les miens.

Petit à petit, une hypothèse folle était née (mais j'ai eu beau retourner l'énigme dans tous les sens, c'était pourtant la seule vraisemblable) : et si cette femme avait épié notre vie ? Comme dans ce film flippant, *Jeune fille partagerait appartement*. Sauf que Sylvie Tonneville ne s'est pas contentée de copier une femme dont elle est maladivement jalouse, elle a décidé de copier une famille entière. Jusqu'à tout balancer un jour, et vendre sur une planche toute cette vie en double.

Pourquoi ? Par remords ? Parce que quelque chose a explosé chez les Tonneville ? Les enfants qui partent ? Le mari qui la quitte ? Et pourquoi copier précisément notre famille ? Qu'a-t-elle d'enviable ? D'exceptionnel ? Pauline et Florian ont-ils vécu une relation particulière avec les enfants Tonneville ?

Je n'ai pas voulu en parler à Muguette. Je me suis promis de jouer la discrétion sur toute l'affaire jusqu'à l'avoir élucidée ; en le regrettant souvent. Peut-être Muguette courait-elle un danger ? Peut-être avait-elle été amie avec cette Sylvie Tonneville lorsque les enfants étaient jeunes ?

Le tome II de *Crimes sous les pommiers* est sorti le 30 juin. J'ai passé l'été à courir les salons dans la région, et à force d'écouler entre dix et trente romans chaque week-end à des badauds curieux, j'ai dépassé les cinq cents exemplaires vendus fin août, au point que mon éditeur me commande un tome III, assorti d'une recommandation : moins s'étendre géographiquement et remonter plus loin dans le temps. Réaliser une historiographie criminelle de la commune et de ses alentours, depuis l'Antiquité si je pouvais ! Déterrer tous les cadavres enfouis sous les maisons, dans les différentes couches géologiques depuis le jurassique.

Vaste programme. Ambitieux. Jubilatoire. Suicidaire.

Je commence à m'y coller. Plus je vais sonner aux portes, fouiller dans les archives, fouiner dans les greniers, traîner dans les cimetières, et plus on me regarde de travers. Comme si chaque habitant redoutait qu'on ne lui découvre un arrière-grand-père tortionnaire ou un aïeul pédophile.

Le jour de la Toussaint, lors de la signature officielle de mon tome II organisée à la bibliothèque de Touffreville, derrière les sourires de façade et les félicitations d'usages du maire et de l'adjointe à la culture, j'ai ressenti une impression étrange. Je dérange.

Tout est lié.

Le village se méfie de moi. Mes indics se taisent. Mes relations se défilent. Mes amis se détournent. Je m'en fiche ! Cette enquête peut bien me faire perdre un à un mes voisins ; grâce à elle, j'ai retrouvé ma famille.

En novembre, maman, dans un éclair de lucidité, m'a lâché le nom du témoin-menuisier, André Lombard. Je l'ai retrouvé dans une maison de retraite de Mandelieu. Il continuait de scier et de clouer des objets en bois dont lui seul devait savoir à quoi ils ressemblaient, mais pour le reste, ne se rappelait plus rien.

« *N'insistez pas, il a de la sciure dans le cerveau* », a glissé avec délicatesse une infirmière. J'ai aussi lancé un avis de recherche officiel sur Charlotte, Laura, Imani et Kelly. J'ai ouvert une page Facebook rien que pour elles. Sans succès. À croire que les petites filles oublient leurs poupées dès qu'elles se connectent aux réseaux sociaux.

J'ai également passé quelques coups de fil aux amis les plus proches de Florian, ceux susceptibles d'avoir emprunté les albums de Nirvana, Metallica ou Death Angel. Quelques heures plus tard, Florian m'a téléphoné.

— Papa ? Nico vient de m'appeler. Il paraît que tu lui as demandé s'il avait toujours les disques que je lui ai prêtés il y a quinze ans ?

— Hum... Ben oui... Souviens-toi, c'est toi qui m'as assuré qu'un de tes amis ne te les avait jamais rendus.

— Tu délires, p'pa ? Tu m'as vraiment collé la honte devant mes potes ?

— Vraiment fiston ! Et d'ailleurs, Nico et tes autres copains te traitent d'enfoiré. Ils n'ont pas trop apprécié que tu les accuses. Ils prétendent que de toute ta vie, tu ne leur as jamais prêté un seul disque !

Florian a éclaté de rire.

— Les salauds ! T'es vraiment le père le plus barge du monde. Si tu y tiens vraiment, tu sais, tes disques, je te les commande sur Amazon et tu les as demain.

Mi-décembre, Pauline nous a annoncé qu'elle était enceinte. Nous sommes descendus presque aussitôt à Toulouse, avec Florian et Amandine. Nous avons passé Noël ensemble pour la première fois. Stan était trop content de démontrer que grâce à sa réussite, il pouvait réunir toute sa belle-famille sur sa terrasse en teck. Du coup, avec Muguette, on est restés jusqu'à la première semaine de janvier. Bien fait ! Stan a presque fini par nous virer.

Pendant tout le temps du séjour toulousain, le tome III n'a pas avancé d'une ligne. Muguette est revenue à la charge sur la route du retour.

Mon Gaby, on pourrait s'arrêter dans un gîte près de la chaîne des Puys. Acheter un pull, une écharpe, de grosses chaussures fourrées et randonner quelques jours. Un tout petit détour sur un coup de tête. Besse-en-Chandesse, c'est moins loin que Venise ou Santorin.

On verra, ai-je répondu. *On verra.*

C'était tout vu. Tout droit.

D'abord résoudre le mystère Tonneville.

Avant de s'attaquer à ceux du jurassique.

Commentaire de Muguette

D'accord mon Gaby, d'accord. Je serai patiente.
Résoudre d'abord le mystère Tonneville.
Je ne suis pas folle, tu sais. Je sais ce que tu attends.
Tu as coché le jour en rouge sur ton agenda.
Un dimanche.

Un dimanche de mai.
Si un jour j'avais imaginé...

Alors j'attends, promis, j'attends jusque-là.
Et ensuite mon chéri, tu seras à moi !

10.

Tout devait donc se terminer un dimanche de mai.

Je suis assis sur la chaise de mon bureau, devant la fenêtre. Je ne distingue aucun soleil à l'horizon, juste un grand ciel gris, pas même un peu de vent pour faire trembler les feuilles du saule pleureur ou écarter la bruine qui perfore la surface de la petite mare sous ma fenêtre. Rien ! Rien qu'un pluvieux après-midi de mai. Un peu trop affreux pour ne pas s'en méfier.

Une pile de trente centimètres de journaux s'élève sur ma droite, alors qu'une dizaine de livres s'étalent sur ma gauche, ne laissant qu'une place minuscule sur le bureau pour y poser mon ordinateur portable.

Je dois en être à peu près là dans mes pensées, lorsque j'entends des pas dans l'escalier.

Muguette forcément.

Elle porte un jeans et un grand pull de laine. Je sens qu'elle est montée pour me guillotiner.

— Si tu comptais sortir, c'est raté !

Clac !

Qu'est-ce que je vous avais dit ?

S'il avait fait beau, un bon petit 20 degrés, je serais allé trouver Muguette avec un grand sourire en lui annonçant « *c'est bon, j'ai bien avancé ma chérie, on peut sortir si tu veux* ».

Mais là...

— Tu as vu ce ciel gris, Gaby ?

Au-dessus de ma pile d'archives, j'attrape un journal, pas une photocopie, pas un vieil exemplaire jauni titrant sur un cadavre retrouvé pendu dans une grange.

Celui d'aujourd'hui.

Dimanche 20 mai 2018. Foire-à-tout
de la Pentecôte.
Stade municipal de Touffreville-la-Corbeline.
9 heures-19 heures.
Plus de 50 exposants

— C'est quand même pas ce petit crachin qui va nous arrêter ma chérie ?

Muguette regarde avec inquiétude les gouttes kamikazes se fracasser sur la fenêtre de mon bureau. Elle joue magnifiquement la comédie, mais je décide de mettre fin à notre match d'improvisation. Évidemment, Muguette a compris où je veux en venir ! Depuis un an, je n'attends que ça, retourner au stade et me promener entre les stands. Avec un seul espoir : y croiser à nouveau la femme-coquelicot.

— Si cela peut te guérir de ton obsession ! ironise Muguette.

Je me braque.

— Mon obsession ? Cela fait des mois que je ne t'ai pas embêtée avec ça !

— Et que tu fais tes recherches en cachette... Je vis sur la même planète que toi, Gaby. Ta mère me parle, Pauline et Florian aussi. Tout comme les gens du village.

Démasqué !

Muguette a toujours été plus maligne que moi.

On enfile nos habits de pluie, on sort, on marche sur les trottoirs détrempés. Des parapluies convergent vers le stade comme une giclée de confettis.

Je reprends la conversation. Finalement libéré.

— D'accord Muguette, j'ai continué de penser de temps en temps à cette histoire. Mais reconnais qu'elle a eu aussi du bon cette enquête. C'est grâce à elle si je rends à nouveau visite à ma mère, si je suis allé voir avec Florian Caen-OM et le concert des Insus, si je suis descendu chez Pauline. Tout ce qu'on ne faisait plus...

Pour toute réponse, Muguette se contente d'un sourire que je renonce à interpréter. On arrive au stade. Visiblement, la pluie n'a pas dissuadé la foule. Entre les exposants abrités sous des bâches plastiques et des tentes improvisées, des dizaines de promeneurs progressent dans la boue.

Les gens s'adaptent à tout, aux pires conditions météo. Je m'apprête à en tirer une nouvelle théorie lorsque mes pensées se bloquent net.

Mes deux pieds semblent d'un coup pris dans un bloc de ciment frais.

La femme-coquelicot se tient là ! Trois stands devant nous. Sans robe cette fois, boudinée dans un pantalon de velours et voilée sous un imperméable vert à capuche, mais je n'ai aucun doute. C'est elle !

La terre détrempée du stade est un ciment à prise rapide. Je suis statufié de la tête aux pieds. Pendant toute cette année, j'avais fini par croire que cette femme n'existait pas, que je l'avais rêvée, et que de toutes les façons jamais je ne la retrouverais, à l'image d'une jolie fille qu'on n'ose pas aborder et qui disparaît pour toujours en vous laissant d'infinis regrets.

Depuis que j'ai mis un nom probable sur cette inconnue, Sylvie Tonneville, tout en me révélant incapable de remonter sa piste, j'avais eu l'intuition que cette femme se cachait. Un peu comme si j'avais découvert par hasard un subterfuge dont j'ignorais tout, témoin imprévu d'une machination complexe, et qu'alors, la comploteuse avait escamoté toutes les traces avant de filer.

Je me trompais, depuis le début ! Sylvie Tonneville se tient là devant moi !

Naturelle. Affable. À parler aux passants. À plaisanter.

Sans se cacher.

À mes côtés, figée dans le même bain de boue, Muguette ne dit rien. Nous sommes à trente mètres du stand, mais je distingue parfaitement la table devant la femme. Je ne reconnais aucun des objets que j'ai vus il y a un an. Ni voitures, ni figurines, ni poupées, ni disques, ni cheval à bascule. Rien qui puisse donner envie à un enfant.

Je me libère de la gadoue et j'avance, essayant de distinguer entre les gouttes les articles vendus cette année par la mystérieuse femme. Il y a moins de choix. La marchandise, peu volumineuse, tient sur un quart de planche.

Je m'avance encore.

Enfin, je vois.

Si Muguette ne m'avait pas retenu par le bras, sans doute aurais-je glissé dans le ruisseau de terre gorgée d'eau qui s'écoule sous nos pieds.

Sans prononcer un mot, Muguette me pousse à continuer, à m'approcher. Je ressens ce geste comme une invitation étrange à me perdre dans une nouvelle idée fixe. Un instant, j'ai même l'impression que l'exposante à imperméable vert, la supposée Sylvie Tonneville, sourit à Muguette, et même (à moins que ce ne soit l'effet d'une goutte glissant de sa capuche dégoulinante), qu'elle lui adresse un clin d'œil.

Je fais un pas supplémentaire. Les organisateurs ont versé de la sciure devant les stands, on glisse moins devant les exposants.

Pourquoi Muguette serre-t-elle ma main si fort ?

Sur la table, au milieu de quelques bibelots que je ne reconnais pas, trônent un topoguide usé, celui du GR 30 de la chaîne des Puys et des lacs d'Auvergne, qui semble corné exactement comme celui qu'on traînait dans notre sac à dos avec Muguette il y a plus de vingt ans ; deux masques de Venise, un Pierrot et une Colombine, identiques à ceux que nous avions rappportés de notre voyage de noces et qui longtemps décorèrent la cheminée ; un vieux programme d'opéras-bouffes d'Offenbach, *La Belle Hélène*, *Orphée aux enfers* et *La Vie parisienne*, de lointaines représentations auxquelles j'ai le vague souvenir d'avoir assisté ; une pile de cartes postales, la première représente Santorin, je jurerais l'avoir postée hier de Fira, au-dessus de la caldeira, et qu'au dos sont encore gravés les *je t'aime* et les cœurs que Muguette et moi y avions entrelacés.

Sa main, sous la pluie battante, me serre plus fort encore.

Commentaire de Muguette

Tu as raison, mon chéri. Ton obsession a du bon. Je n'imaginais pas à quel point.

J'ai cherché tous les moyens possibles pour te sortir de ta tanière, pour que tu renoues le contact avec tes enfants et ta maman. Je n'ai pas trouvé de meilleure solution que d'utiliser ta passion. Ton goût pour les mystères. Le reste, pour une fille aussi maligne et bonne comédienne que moi, avec la complicité de ma vieille copine Sylvie, fut un jeu d'enfant.

Visiblement Gaby, tu as adoré le tome I de Vie de grenier *!*

J'espère que le tome II te plaira autant.

Mémorise bien chaque indice, n'en oublie aucun

surtout. Je crois que je vais adorer ta nouvelle enquête, mon enquêteur passionnel.

Que tu me supplies de retourner voir des opérettes, tous les deux, rien que tous les deux.

Que tu complotes pour m'emmener randonner en Auvergne.

Que tu me fasses la surprise de me réserver un train de nuit pour Venise.

Que tu murmures en m'embrassant un matin,

Repartons comme au premier jour, repartons nous aimer à Santorin.

Une fugue au paradis

Plage de l'Ermitage.
Saint-Gilles-les-Bains

Minuit plus sept heures

Cilian est le premier réveillé. À égalité avec le soleil. Match nul. Il ouvre sa tente pile au moment où les premiers rayons se faufilent entre les filaos. Il contourne le grand barbecue froid, les casseroles de cari, pose ses pieds entre les bouteilles de rhum, enjambe Guibert et Kephren qui dorment à même le sable (le réveillon du jour de l'An s'est achevé très tard dans la nuit), et attrape sur la table basse le masque et le tuba de Fafane, son grand frère.

Cilian habite à Dos d'Âne, dans les Hauts, sur le rebord du cirque de Mafate. Le lagon, il n'y va pas plus de trois fois par an, une ou deux fois en car, avec l'école ou le centre aéré, et le 31 décembre... quand il ne pleut pas !

La plupart de ses copains se foutent bien de l'océan, un truc pour Zoreilles[1], un truc à requins,

1. Français métropolitain installé à la Réunion.

mais lui non. Dans la chambre de la case qu'il partage avec Kephren, Fafane et Guibert, ils ont un mur chacun. Guibert a accroché un poster de Jackson Richardson, Kephren celui de Dimitri Payet, Fafane celui de Valérie Bègue, mais Cilian a choisi de punaiser une affiche des poissons du lagon, achetée à l'aquarium de Saint-Gilles !

Un pied, deux pieds dans l'eau.

Le masque est un peu trop grand.

Pas grave. Les balistes tournent déjà autour de ses orteils. Le lagon de l'Ermitage est un aquarium dans lequel on peut sauter à pieds joints.

Cilian brasse doucement pour suivre la nageoire jaune fluo d'un chirurgien, de longues minutes, puis se dirige vers les branches en forme de chou-fleur d'un grand corail ; des dizaines de minuscules poissons-demoiselles bleus hésitent à l'attaquer pour défendre leur récif, puis s'enfuient. Quelques gouttes de pluie crèvent la surface du lagon.

Avec son masque, flottant en position d'étoile de mer, Cilian a l'impression d'être au cœur des abysses, au-dessus de la plus grande faille océanique, découvrant chaque détail d'une vie sous-marine secrète... alors qu'il n'y a même pas un mètre de profondeur ! S'il se relevait, l'eau lui arriverait à peine au nombril.

Il progresse le plus lentement possible, pour éviter que les poissons-clowns ne se cachent entre les tentacules translucides d'une anémone.

Comment les copains peuvent-ils se foutre d'un tel trésor ?

De temps en temps, Cilian découvre au fond du lagon des restes de lanternes chinoises, lancées la veille de la plage, à minuit pile, et retombées à quelques mètres ; des vœux pas tout à fait ratés, mais qui n'iront pas loin, qui n'ont pas vraiment décollé, auxquels on croit un peu, puis plouf.

Cilian s'éloigne petit à petit de la plage, il suit maintenant les rayures d'un chirurgien-bagnard qui s'évade vers le large. Il y a un peu plus d'eau, mais Cilian a toujours pied. Il avance prudemment pour ne pas se griffer au corail rouge sang.

C'est là que Cilian le voit.

Pile au-dessous de lui. Comme un miroir.

Allongé comme lui.

Un Cafre[1], comme lui.

Sa première réaction, c'est de croire qu'il dort. Comme tout le monde sur la plage. Il a trop bu, s'est couché trop tard, alors il est tombé, il s'est endormi sur place. Sauf que le Cafre était dans le lagon.

Un baliste-Picasso nage au-dessus de l'homme, se faufile entre les cheveux noirs couleur d'oursin, s'attarde sur les fins poils du torse musclé, longe un bras replié, descend encore et survole le nombril, avant de changer brusquement de direction pour contourner l'obstacle.

Le manche d'un couteau. Planté dans le cœur.

La seconde réaction de Cilian est d'avoir l'impression de se noyer même s'il a pied, de se relever en paniquant, de se déchirer la plante des pieds sur le corail ; c'est de hurler à en réveiller toute la plage.

— Y a un type mort dans le lagon !

---

1. Réunionnais d'origine africaine.

Minuit moins trois heures

Justine plante sa petite tente Quechua au bord de la plage. Pas même besoin d'un marteau, les sardines s'enfoncent toutes seules dans le sable, entre les racines des filaos. Elle reste un instant accroupie, en équilibre sur ses chevilles, à observer le soleil se coucher derrière la barrière de corail. Le ciel est en feu, les nuages rouges semblent vouloir plonger dans le lagon comme des grands brûlés se jettent en mer, l'océan est d'or, la plage de cuivre, les silhouettes noires des filaos posent pour la carte postale et Justine ne prend pas la photo.

Elle est dedans !

C'est si incroyable d'être là.

Tout est si beau ici.

Ce réveillon du jour de l'An s'annonce comme le plus incroyable de sa vie.

Johana lui tend un verre de punch.

Une fugue au paradis, pense Justine en laissant le vent chaud caresser sa peau, le punch, le soleil, la mer à 30 degrés, alors que, la veille au soir encore, elle se tassait dans le RER B direction Roissy-Charles-de-Gaulle, et qu'une heure avant elle était encore coincée dans la galerie marchande de la gare Saint-Lazare à vendre des fringues H & M tricotées par des enfants de dix ans quelque part en Asie, mais allez expliquer à la fille de Pôle emploi que, malgré votre BTS force de vente, vous ne voulez plus être embauchée dans certaines boutiques, question d'éthique.

Pendant une semaine, Justine veut oublier tout ça. Même si sans H & M elle n'aurait jamais rencontré Johana...

Sa copine rentre à la Réunion une fois par an ! Elle ne paye que le prix du billet. Sur place, toute sa famille est là pour l'accueillir.

Johana l'avait suppliée.

Allez Ju, prends l'avion avec moi ! OK, le billet vaut un mois de salaire, mais il y en aura d'autres, des mois de salaire, jusqu'à la retraite, calcule ma vieille, douze fois quarante-cinq ans de cotisations... alors qu'une fugue au paradis, tu en feras combien dans ta vie ?

Johana avait raison.

Tout est si beau ici.

Johana est toute mimi. Métisse. Petite fine sportive. Des cheveux frisés. Et toute timide avec ça. La première fois que Justine l'a vue, c'était durant l'hiver 2012. Elle était arrivée depuis quinze jours et Paris était recouvert de neige comme ça n'arrive qu'une fois tous les dix ans. Johana grelottait sous son gros bonnet, on ne voyait que ses grands yeux amandes. Elle gelait sur place devant les horloges de la gare Saint-Lazare, alors Justine lui a pris la main. Enfin la moufle. Elles ont commandé un chocolat chaud en face, à la brasserie Mollard. C'est la première fois que Johana voyait une brasserie parisienne, avec son plafond de mosaïques, ses lustres de cristal et les serveurs en pingouins.

Tout naturellement, elles ont continué, chaque matin, à partager le petit-déjeuner. Depuis six ans déjà.

Copines pour la vie. Sœurs. Jumelles. Confidentes.

Viens, viens Ju, viens avec moi cette fois, avait supplié Jo.

Banco !

Le plus loin que Justine avait voyagé, c'était La Tranche-sur-Mer, l'année où elle avait mis son vélo dans le TGV. Avant de ne plus en pouvoir des pistes cyclables à travers les marais, des fronts de mer Merlin-plage et de l'eau à 20 degrés.

Pas comme ici où tout est beau.

Même les mecs !

Johana sort de la glacière les accras et les achards que sa mère a cuisinés pour elles. Elles cognent leurs gobelets de rhum Charrette et rient.

— Au paradis ! Et aux anges qui s'y font bronzer !

Cinquante mètres à côté de leur emplacement, des garçons ont planté leurs tentes, ou pour être plus exact, ont étalé leurs serviettes. Un carré de rubalise entre les filaos matérialise leur territoire, à l'instar de ceux occupés par toutes les autres familles qui, depuis des semaines, se préparent à cette formidable kermesse et se pressent le long du littoral. Plus encore cette année où ils n'annoncent pas de pluie.

— Tu nous portes bonheur, prédit Johana en trinquant à nouveau avec Justine.

C'est vrai qu'elles ont eu de la chance de trouver un petit coin libre sous la pinède, face à la plage, parmi les dizaines de milliers de Réunionnais qui campent près du lagon et y installent tables, chaises, sonos, frigos et cuisinières.

Double baraka. Les voisins les plus proches sont ces gars !

Incroyablement sexy. Grands. Noirs. Taillés en V.

Ils sont une quinzaine. Justine n'en revient pas !

— Ça va, les filles ?

Le regard de Johana glisse sur le garçon qui vient de les interpeller, avant de se diriger vers les trois rubans de plastique accrochés aux filaos autour de leur tente.

— Interdit de dépasser, menace-t-elle. Propriété privée !

Les types se marrent. L'emplacement fait deux mètres sur deux.

— C'est Schengen ? On peut entrer quand même ? On est réfugiés.

Johana va les rembarrer, elle les connaît les beaux parleurs... Mais Justine les adore.

Elle n'est pas spécialement jolie, moins que Johana en tout cas. Elle possède un visage banal, un corps ordinaire, mais ici, en maillot, avec sa peau blanche, elle adore se sentir regardée, convoitée par ces types musclés, grands, cons, qui bien entendu ne pensent qu'à une chose...

Minuit plus huit heures

Le cadavre est allongé sur un transat de l'hôtel Le Récif, le premier qu'ils ont trouvé. Le plus proche de la plage.

Peinard, pense Christos Konstantinov, le sous-lieutenant de la gendarmerie de Saint-Gilles-les-Bains.

Aucun autre transat n'est occupé, aucun voisin pour le faire chier, la piscine pour lui tout seul. Les palmiers tout autour qui continuent de clignoter, chacun entortillé dans sa guirlande de Noël, et le gyrophare de l'ambulance qui tourbillonne en cadence.

Oui peinard, confirme Christos en se massant la tête. Au moins, le cadavre n'a pas mal au crâne ; son téléphone portable a pu sonner des heures dans sa poche, recevoir des textos, *bonne année, bonne santé*, sans que ça ne l'empêche de continuer de pioncer au fond du lagon !

Pas comme le sien, pense le sous-lieutenant. Couché à 6 heures du matin. Réveillé à 7 heures !

C'est Dorian, son gamin, qui l'a amené, de Saint-Louis à Saint-Gilles. Dorian a dix-sept ans. Pour valider sa conduite accompagnée, il est censé conduire trois mille kilomètres avec un adulte assis à côté. Si l'adulte dort sur le fauteuil passager parce qu'il a vidé un cubi de punch pour fêter la nouvelle année, ça compte aussi.

D'ailleurs, Christos hésite à demander à Gabin, le barman virtuose, de lui en préparer un. Quitte à se retrouver au Récif où Gabin Payet, le meilleur barman de l'île, vient juste d'être transféré, ce serait dommage de ne pas commencer l'année mieux qu'elle ne s'est terminée.

Reynald Bertrand-Guy, le patron de l'hôtel, un Zoreille fraîchement débarqué d'un quatre-étoiles sur la Côte d'Opale, le regarde d'un air méfiant. Pas encore remis du choc thermique, il porte cravate, chemise boutonnée jusqu'au cou et costume anthracite. De quoi se plaint-il ? Sa piscine, sa table, son menu seront en gros plan dans tous les journaux de demain.

Allez, avance, le bar est à vingt mètres.

Le première classe Morez l'intercepte alors qu'il n'en a pas fait cinq.

Lambat, l'autre gendarme de garde, un Zarabe[1], sobre comme un Zarabe, est déjà sur place depuis une heure et l'attend pour faire le point.

Efficace le garçon !

Il a identifié le cadavre. Manu Nativel. Trente-huit ans. Célibataire. Habite encore chez

1. Réunionnais musulman d'origine indienne.

ses parents, au Tampon. Employé municipal aux espaces verts. Pompier volontaire. Footballeur amateur. Un chic type apparemment...

Lambat a même poussé le zèle jusqu'à identifier le couteau planté dans le cœur de Manu.

Un couteau de cuisine, appartenant aux Hoarau de Saint-Philippe, une grande famille dont dix-sept membres ont pique-niqué et dormi sous les filaos, le couteau d'après eux aurait disparu un peu avant minuit, Marie-Thérèse, responsable de la cuisson du cari, affirme l'avoir cherché une bonne partie de la nuit. On la réinterrogera à la gendarmerie, comme toute la famille Hoarau, mais dans l'obscurité, la foule, les pétards et les lanternes de la Saint-Sylvestre, n'importe qui a pu attraper cette arme posée sur une table de camping.

— Bon boulot, Lambat, admet Christos. Reste à trouver le lien. Comment le couteau de Marie-Thérèse a-t-il pu se retrouver dans le cœur de ce type, au milieu du lagon ? T'as une idée ?

Lambat ne répond rien. Pas si malin le gamin.

Pour l'instant, Christos ne pense pas plus loin que Gabin... plus que quinze mètres pour lire l'avenir dans les eaux troubles du mojito.

Christos fait trois pas mais Dorian l'attend, sur une chaise de plastique, un Coca à la main. Il est assis avec le petit Cilian, le gamin qui a trouvé le corps dans le lagon.

— J'ai bien entendu ? demande Dorian. T'as bien parlé de Manu Nativel ?

— Tu le connais ?

— De réputation. Il était milieu défensif en D1R[1].

— C'était un bon ?

— Plutôt oui ! Il a joué pour l'AS Marsouins de Saint-Leu. Je te parle pas des cabris d'aujourd'hui, je te parle de l'équipe légendaire de 2000-2001 ! Celle qui est allée jusqu'en huitième de finale de la Coupe de France, qui a battu Le Havre en seizième au stade municipal avant de se faire sortir par Wasquehal.

Christos médite sur la mémoire des ados. Qui d'autre que Dorian peut se rappeler un truc pareil ? Il était à peine né, alors que Christos ne garde qu'un lointain souvenir de cette brève liesse footballistique. Moins de la victoire surprise de Saint-Leu contre une Ligue 1 française d'ailleurs, que de leur défaite cuisante au tour d'après, alors que toute l'île était derrière sa télé.

— Merci de l'info, fait Christos, mais t'enjolive un peu. Une épopée qui se termine par un 4-0 dans la banlieue de Lille par -5 degrés, ça ressemble plutôt à la campagne de Russie ! Allez pousse-toi gamin... Déranger Gabin pour un Coca, c'est demander à Mozart de jouer la *Macarena*.

Christos va y arriver, encore deux pas pour atteindre le bar quand son téléphone sonne.

C'est Patché, un autre gendarme. Décidément.

— On a un souci, lieutenant.

Merde. Il lui manquait un mètre.

— Quoi ?

— Deux filles. Disparues. Je suis dans la pinède de l'Ermitage, devant leur tente vide. Les voisins sont formels. Ils ne les ont pas revues de la nuit.

---

1. Championnat de football de la Réunion.

Minuit moins une heure

Ils forment un cercle sur le sable, sous les filaos, face à la plage. Une ronde pas très grande, juste assez pour entourer les trois glacières. Ils se tiennent tous serrés. Quinze garçons et deux filles.

Jo et Ju.

Justine regrette un peu d'avoir dit *oui*, d'avoir insisté auprès de sa copine, *allez Johana, ça ne coûte rien d'aller boire un coup avec eux, on ne va pas faire les nonnes jusqu'à minuit toutes les deux. Ils ont l'air sympa, ils sont entre potes, tu ne m'as pas dit que ton île, c'était le melting-pot ?*

Justine déchante. Elle aurait dû écouter Johana.

C'est pas que les mecs ne sont pas sympa. Ils sont juste lourds.

Les quinze paradent avec des T-shirts de marque et visiblement se contrefoutent de l'âge des petits enfants qui les ont tricotés. Ils font tourner une bouteille de rhum qu'ils boivent au goulot, entre

255

deux bouffées de zamal[1]. Peut-être que d'ordinaire, ce sont des gars normaux, drôles, avec des
métiers passionnants, peut-être même une conversation intéressante, si on arrive à en attraper un,
à l'isoler ; mais ainsi, en troupeau, impossible de
lancer une phrase qui ne se termine pas par un
éclat de rire général.

— Allez les filles, une taffe, une seule.

Justine teste, une fois, pour goûter. Johana non.

Le calumet de la paix tourne. Fait la course
avec la bouteille. Ça devient long. Impossible
de parler d'autre chose que bagnoles, foot... et
sexe.

Justine tousse. Un géant bodybuildé se précipite
à son chevet.

— Ma belle, vite, une gorgée ? Pour faire
passer.

Justine refuse la bouteille, Johana aussi.

Les garçons insistent à peine. Ni susceptibles
ni vraiment collants.

— Vous êtes toutes seules ou vous attendez
des copains ?

— Ou des copines ?

Et ça rigole...

Ça ne drague même pas au fond, Justine vient
de s'en rendre compte. Ils sont tous là pour se
défoncer, avec tous ceux et celles qui voudront
bien entrer dans le cercle, on peut l'agrandir
à l'infini. C'est le soir du grand karma, mais sûrement pas la nuit du *Kāma Sūtra*. Pour l'amour,

1. Cannabis local.

aucun ne sera en état, et puis où trouver une intimité sur ce littoral surpeuplé ?

Dommage...

Au fond, Justine aurait bien aimé une petite aventure avec un type un peu bourré qui lui jure qu'elle a deux beaux yeux, qui la trouve exotique, qui lui demande de parler de la tour Eiffel, qui lui prend la main pour qu'elle touche ses gros muscles, sa peau d'ébène, son jeans moulant. Un pas trop bête, un gentil, un qui trouve le bon équilibre entre audace et timidité.

Son regard fait le tour du cercle.

Y en a un !

Plus silencieux que les autres, plus introverti. Plus beau aussi. Elle en ferait bien son doudou pour la nuit.

Le seul à préférer regarder les filles que la course du joint et de la bouteille.

Sauf que pour être précise, remarque Justine, il ne regarde pas les filles.

Il regarde une fille.

Pas elle.

Johana.

Minuit plus huit heures quinze

— Christos ?
— Ouais ?
— C'est Aja.

Merde, la patronne ! Le sous-lieutenant Konstantinov dissimule le mojito dans son dos, comme si la capitaine de la gendarmerie de Saint-Gilles pouvait le repérer à travers le téléphone.

— C'était pas ton jour de garde, ma belle ?
— Cas de force majeure, mon grand !
— Et Jade et Lola, que vont faire tes petites princesses sans leur maman ?
— Tom s'occupe d'elles. On va déjeuner chez ses parents à Plateau-Caillou pour la nouvelle année. Je les rejoins dès que j'ai terminé.

Christos pense en silence qu'ils vont l'attendre longtemps, et que pour tout festin du 1er janvier, sa chef risque fort de se contenter d'un zembrocal[1] à réchauffer dans une boîte de polystyrène.

_____

1. Plat de riz épicé de la Réunion.

— T'es où ? s'inquiète le sous-lieutenant.

— Au CHU Félix Guyon, à Saint-Denis. Chambre 217. J'ai retrouvé vos deux gamines disparues sous la pinède. Johana Fontaine et Justine Patry.

Lambat et Morez sont pendus à ses lèvres. Le directeur de l'hôtel aussi. Christos s'éloigne un peu. L'affaire commence à se compliquer et la capitaine Aja Purvi n'est pas du genre à ménager ses troupes, même un jour férié.

Il fixe le cadavre de Manu Nativel allongé sur le transat. Le couteau. Le sang séché.

— Qu'est-ce qu'elles foutent là-bas ? demande-t-il à Aja. Elles sont blessées ?

— L'une des deux filles, Johana Fontaine, est dans le coma. Les médecins sont incapables d'expliquer pourquoi. Pas de coups apparents, pas de marques de violence. Elle semble avoir subi un traumatisme. Rien de physique d'après les toubibs, un choc émotionnel, comme si elle s'était enfermée elle-même dans une chambre et refusait d'ouvrir.

— Et sa copine ?

— Justine Patry ? Elle est tétanisée, mais consciente. Apparemment, c'est elle qui a amené Johana Fontaine aux urgences. Elle veille à son chevet. Je tente de l'interroger et je reviens vers toi. Elle a l'air (Aja baisse d'un ton, comme si elle hésitait sur les mots à prononcer)... de revenir d'une fugue en enfer.

Minuit moins trente minutes

Justine fait glisser du sable fin entre ses doigts. Au creux de sa paume. Sous ses orteils aussi. Johana est assise face à elle, sur la plage, tout près de leur tente, mais dans la quasi-obscurité, elle ne distingue de son amie que les reflets de son pagne clair et la dent de requin qui pend à son cou.

Les deux filles ne sont éclairées que par le feu de la famille d'à côté : celui de la gazinière sous laquelle cuit un grand cari, surveillé par une gramoune[1] équipée d'ustensiles divers posés sur la table de camping, couteaux, cuillères, louches.

Quand la grande ombre du garçon se penche entre la marmite et elles, les filles sont plongées dans le noir complet.

Le garçon s'appelle Manu.

C'est lui qui les a suivies.

1. Personne âgée.

261

Les filles ont quitté le cercle un peu après 23 heures, sous les quolibets du groupe.

— *On pue de la gueule ?*

— *Vous n'allez tout de même pas vous coucher avant minuit ?*

— *Y a de la place sous votre tente ?*

Leurs protestations dépitées ont amusé Justine. Elle a trouvé agréable de sentir le regard de tous ces mâles sur elle au moment où elle se levait, sur ses jambes blanches, sur ses fesses quand elle s'éloignait en marchant maladroitement pieds nus sur les branches mortes de filaos.

L'alcool, la chaleur, l'exotisme. Justine, tout en fuyant les commentaires salaces, éprouvait même une pointe de regret.

Quel regret ?

Avec Johana, elle ne partait pas bien loin. Cinquante mètres. Ils savent où la trouver, la nuit sera longue. S'il y en a un plus audacieux, un que l'alcool ne fait pas dormir, peut-être ouvrira-t-il la fermeture Éclair de sa tente pour l'inviter à faire quelques pas dans les dunes. Puis l'invitera à ouvrir la fermeture de sa robe, pour danser allongés sous la lune. Pourquoi pas ? Ce n'est pas dans le hall de la gare Saint-Lazare que ça lui arriverait. Elle est libre, jeune, célibataire, à dix mille kilomètres du qu'en-dira-t-on. Il ne lui manque que les codes.

Ceux des tropiques.

Est-ce aux filles de choisir ? De provoquer ? D'attendre ?

Jo, elle, les connaît.

Johana, en se levant pour briser le cercle, a planté son regard dans celui du gars gentil. Le

seul capable de quitter à son tour le groupe sous
les plaisanteries des potes, de hausser les épaules,
d'esquisser un petit sourire qui signifie *qu'est-ce que
vous pouvez être cons des fois les mecs*, et de s'en
aller comme si de rien n'était, laissant les autres
à leurs inhibitions que l'alcool ne suffit pas à noyer.

Manu.

L'introverti.

Pourtant le plus frimeur de tous.

Il reviendra ensuite auprès de la bande en rou-
lant des mécaniques, sans un mot, prendra le
joint, la bouteille, laissant les autres imaginer.

Pour l'instant, Manu est avec elles.

Tendre, gentil, attentionné.

Il raconte même qu'il est pompier, qu'il ne boit
pas pour ça, que dès minuit, des pétards vont
exploser partout, des milliers de lanternes chinoises
vont être allumées, qu'elles vont s'accrocher dans
les filaos, changer de direction au moindre coup
de vent, retomber sur des voitures garées, sur des
tentes, que c'est beau un 31 décembre sur le
lagon, mais dangereux, c'est pas que les gens
soient inconscients, pas vraiment, mais lui préfère
rester vigilant. Imaginez, une torche qui retombe
sur un enfant, un feu d'artifice qui enflamme une
paillotte.

Justine trouve qu'il en fait un peu trop, le beau
Manu... À la limite, elle préférait encore l'absence
de baratin d'un des gars bourrés.

Visiblement, Jo n'est pas du même avis. Elle
écoute le pompier avec gravité, une main devant

sa bouche et l'autre sur le genou du secouriste.
Il ne semble discourir que pour elle.

Invisible la copine zoreille.

Un petit *ah*, un petit *oh*, *c'est bon*, pense Justine,
on a compris Jo.

En rajoute pas.

*Manu a compris lui aussi. Vous vous êtes choisis,
vous en avez envie tous les deux et vous n'allez
pas vous en priver ! Tu vas aller allumer les étoiles
et je vais tenir la chandelle, quelques secondes avant
que les alizés ne l'éteignent.*

Pourtant, Justine ne peut pas en vouloir à sa
copine. Encore moins la jalouser. Même si c'est
toujours Jo que les garçons regardent, toujours
avec Jo qu'ils s'attardent. Même si Justine passe
la nuit de la Saint-Sylvestre seule sous la tente
et que Johana l'abandonne pour son pompier.

Justine connaît l'histoire de Johana. Elle est la
seule à partager son secret. Elle est la seule à qui
la jeune créole a osé tout raconter. Après avoir
fui son île.

Johana a mis des années à accepter de sourire
à nouveau à un homme. De s'offrir à un homme.
Alors non, Justine n'est pas jalouse, même s'il est
mignon, le pompier.

— On va se baigner ? propose Manu.
— Je ne sais pas, hésite Johana.
Elle regarde Justine. Cherche un conseil.
— Moi j'y vais, tranche Manu.
Il avance vers l'océan.

— Vas-y, murmure Justine. Va le rejoindre. Je t'attends.

Johana semble libérée, comme si elle attendait la permission de son amie. Elle se lève, murmure un *merci*, pose sa main sur le bras de Ju tout en lui accrochant un bisou sur la joue.

Sur la plage, Manu fait valser son T-shirt, son jeans, et hop, le bellâtre se retrouve en shorty.

Tu ne peux pas être jalouse de Jo, se répète Justine comme pour se convaincre, alors que les reflets de lune jouent avec les muscles du Cafre, ses pectoraux, ses cuisses épaisses.

Tu ne peux pas être jalouse après ce qu'elle a subi.

Johana passe son pagne par-dessus sa tête et la voilà illico en maillot.

Parfaite. À faire bander toute la nuit un endormi[1]. Alors qu'elle trottine sur le sable pour rejoindre Manu, la fusée d'un feu d'artifice décolle de la plage, à quelques mètres d'eux, illuminant la peau noire du pompier. Une seconde à peine avant que les étincelles ne se dispersent au-dessus du lagon et que la nuit retombe.

Une seconde suffisante pour que Justine aperçoive sa copine hésiter. Trembler. Elle a même l'impression qu'elle va perdre l'équilibre ; comme si une Réunionnaise pouvait avoir la phobie des pétards et des fusées.

L'instant d'après, elle perd de vue son amie et son amoureux, ne les cherchant même plus des yeux.

1. Caméléon réunionnais.

Minuit plus huit heures quarante-cinq

— Racontez-moi, Justine, demande Aja. Que s'est-il passé ?

La capitaine de gendarmerie tend un mouchoir à la jeune fille. Elle s'est effondrée dès qu'elle est sortie de la chambre où dort Johana. Elles ont marché un peu jusqu'à trouver un coin calme au bout du couloir. Des guirlandes sont accrochées aux murs. Un sapin synthétique clignote à côté d'elles. Des infirmières passent au ralenti, poussant des malades endormis sur des fauteuils roulants, comme si tout l'hôpital, personnel et patients, avaient fêté le Nouvel An.

— Comment va Johana ? s'inquiète Justine entre deux sanglots.

— Elle s'en sortira. Physiquement, elle ne souffre de rien.

Elles s'assoient sur deux chaises jumelles.

— Que s'est-il passé ? répète Aja.

La capitaine pose avec précaution son paquet de mouchoirs sur la table basse devant elles. Elle sait qu'elle doit lutter contre son impatience. Effectuer des gestes lents et questionner Justine sans la brusquer. Qu'elle ne doit pas penser à l'heure qui passe, à sa promesse d'aller souhaiter les vœux aux parents de Tom, sa mère surtout, un volcan capable d'entrer en éruption si on ne respecte pas la tradition. Ce matin pourtant, Tom n'a rien dit quand le téléphone a sonné, quand elle s'est habillée en une minute et a attrapé à la volée les clés de la voiture de service, il l'a juste retardée d'une seconde pour lui glisser un baiser voulant dire *bon courage*, puis l'a poussée d'un regard lui soufflant *reviens vite*.

— Je ne sais pas, répond Justine.

— Reprenez depuis le début, mademoiselle Patry. Depuis le début de la soirée.

Justine raconte. La tente entre les rubalises. Le cercle de garçons. L'alcool et le zamal. Elles qui s'éloignent, Manu qui les suit. Manu qui s'éloigne, Johana qui le suit. Tous les deux qui disparaissent dans l'eau sombre du lagon.

— Et ensuite ? Quand Johana est-elle revenue ?

Justine renifle. Attrape un nouveau mouchoir. Éponge ses yeux et observe un instant les traces de maquillage brouillées sur le papier froissé.

— Après minuit, finit-elle par répondre. Quelques secondes après minuit. Je l'ai vue sortir du lagon.

— Seule ?

— Oui, seule.

Aja enregistre les faits tout en essayant de ne rien laisser paraître. Johana s'enfonce dans le lagon avec Manu Nativel. Revient seule un quart d'heure plus tard alors que son compagnon gît poignardé au fond de l'eau. Puis sombre dans un coma traumatique.

— Quand Johana est sortie du lagon, demande la capitaine, avait-elle l'air... troublée ?

Justine répond étrangement vite :

— Non ! Non, pas à ce moment-là. Je me suis même fait la réflexion inverse. Je ne m'attendais pas à ce qu'elle revienne aussi rapidement, mais elle semblait apaisée. D'ordinaire, Jo est plutôt, disons, angoissée. Mais quand elle est sortie du lagon, je me suis fait la réflexion que je n'avais jamais lu sur son visage une telle sérénité.

Elles se taisent toutes les deux. Elles pensent à Johana inconsciente dans la chambre 217. Comment passer ainsi d'une telle paix intérieure à un choc traumatique aussi brutal ?

— Que s'est-il passé alors ? répète Aja. Que s'est-il passé ensuite ?

Justine renifle, se mouche, noircit de mascara un nouveau mouchoir de papier.

— Je ne suis pas certaine. Tout a été si vite. Les garçons sur la plage cherchaient Manu pour lui souhaiter la bonne année. Ils se sont avancés vers Johana qui sortait de l'eau. Johana les a regardés, elle avait toujours ce grand sourire calme accroché au visage, elle m'a même adressé un petit signe de la main, puis d'un coup, elle est tombée sur le sable, sans un bruit, comme le Petit Prince quand il est mordu par le serpent. Comme foudroyée, au milieu de la fête, au milieu des inconnus qui s'embrassaient, des lanternes et des feux d'artifice, comme si un sniper avait attendu le bruit incessant des pétards pour tirer, pour abattre Johana sans que personne ne remarque le coup de feu.

Aja prend les mains de Justine entre les siennes.

— Votre amie n'a subi aucune violence. Personne ne lui a tiré dessus. Personne ne l'a battue. Elle a subi un choc psychologique. Uniquement psychologique.

Aja serre plus fort encore les doigts de la jeune femme.

— Vous êtes son amie. Johana a-t-elle... Comment dire... Des antécédents qui pourraient expliquer ce choc ? Des déchirures anciennes ? Des fêlures ?

Justine observe les mouchoirs en papier. Les mouiller et les brouiller devient un tic, mais la capitaine ne lui lâche pas les mains.

— Johana a fui l'île. Pour se réfugier en métropole. Il y a six ans.

— Pourquoi ?

— C'est... C'est un secret... Personne à part moi ne le connaît. Je ne sais pas si Johana serait d'accord pour que...

De nouvelles larmes coulent des yeux de Justine. Aja lève les siens vers la pendule accrochée au-dessus du sapin. Un instant, elle pense à Tom, Jade et Lola. Son mari et ses deux filles doivent déjeuner sur la terrasse. Il restait de la mangue fraîche, un litre de jus de goyaves pressées, des macatias[1].

Aja murmure :

— Prenez tout votre temps.

1. Petits pains réunionnais.

270

Des cris retentissent devant la porte d'entrée du Récif.

Des cris de femme. Des éclats de voix. Christos jette un regard au directeur de l'hôtel, qui a fini par tomber la veste et desserrer la cravate, puis aux agents Morez et Lambat, pour leur signifier qu'il a besoin de calme, que les collègues de la police scientifique vont arriver de Saint-Denis, qu'il faut sécuriser la zone et interdire l'accès aux badauds.

— Je veux voir mon fils !

Morez et Lambat se dirigent vers la porte d'entrée, pas assez vite. Ils en sont encore loin lorsqu'elle s'ouvre brusquement. Une femme d'une soixantaine d'années surgit, petite, forte ; elle bouscule Reynald Bertrand-Guy au point de manquer de faire tomber le directeur dans la piscine et se précipite vers les transats.

Christos est le plus vif à s'interposer. Il la serre un long moment entre ses bras, maintenant la tête de la femme contre son torse, attend qu'elle se calme tout en faisant signe aux autres gendarmes de ne pas s'en mêler. Il patiente d'interminables secondes avant de desserrer son étreinte, puis l'emmène sous le patio, lui tend une chaise dont elle ne veut pas.

— Vous verrez votre fils, promet-il, vous verrez votre fils, madame Nativel, mais il faut laisser travailler les experts. Il a... Il a...

— Je sais ! hurle la femme. Il a été assassiné !

Par la porte grande ouverte du Récif entrent d'autres personnes, un homme aux cheveux

271

blancs, crépus et ras, le père sûrement, des frères et sœurs ; tous se réveillent, apprennent le drame, se soutiennent. Christos n'a même plus le courage de filtrer les arrivées. Reynald Bertrand-Guy, cravate abandonnée sur les branches d'un palmier, chemise ouverte et auréoles sous les bras, a l'air tout aussi débordé.

Après tout peu importe, pense Christos, du moment qu'ils ne s'approchent pas du corps. D'une minute à l'autre, les collègues vont l'embarquer pour le confier aux légistes de la morgue de Saint-Denis.

— Qui a pu assassiner mon petit ? continue de gémir maman Nativel en questionnant Christos du regard.

Je ne sais pas.

Tous s'interrogent, tous ceux qui sont entrés dans le jardin de l'hôtel et qui connaissaient Manu Nativel, cousins, voisins ; tous tiennent le même discours, incrédules.

Assassiné ? Avec une arme blanche ? Un autre type, ils auraient compris, mais pas Manu. Manu ne touchait pas à la drogue, pas à l'alcool, pas à l'argent. Manu était un garçon sans histoire, sérieux, trop sérieux même.

— Pourquoi lui, lieutenant, pourquoi lui ?

— Je ne sais pas.

Christos s'éloigne. Devant toute la sainte famille, hors de question de déguster le mojito de Gabin. L'année commence bien ! Il a besoin d'éléments nouveaux avant de tenter quoi que ce soit. Il téléphone à Aja, mais elle ne répond pas.

Aja laisse son téléphone sonner. Elle se contente de consulter le numéro. *Une seconde, une seconde encore, Christos. Je tire encore un peu le fil et je t'appelle juste après.*

La capitaine lève les yeux vers l'étoile qui brille au-dessus du sapin synthétique. Justine Patry, le regard dans le vide, semble se perdre dans une galaxie beaucoup plus lointaine. Les guirlandes électriques projettent des pastilles pastel sur les murs blancs de l'hôpital.

— Continuez, Justine. Quel est ce secret ? Il faut m'en parler si vous voulez aider votre amie.

Justine attend que plus personne ne passe dans le couloir, aucun patient, aucun médecin, cela prend plusieurs minutes, puis elle se lance enfin. Quelques mots. Syncopés.

— Johana a été violée. Elle avait dix-sept ans. À la sortie d'une discothèque. Elle n'a pas porté plainte. Elle n'en a parlé à personne. Seulement à moi, des années après.

La capitaine Purvi laisse passer un bref silence.

— Manu Nativel aurait pu être son violeur ?

Justine n'élude pas la question. Elle semble même soulagée qu'Aja la lui pose.

— Je ne sais pas. Le soir de son viol, Johana n'a pas vu le visage de son agresseur. Il faisait nuit. Il l'a entraînée dans la ravine Fontaine. Mais pourtant...

— Pourtant quoi, Justine ?

Deux infirmières passent à un mètre d'elles, Justine attend qu'elles disparaissent avant de continuer.

— Ça va vous sembler étrange capitaine, mais quand j'ai vu Johana revenir seule du lagon après y être entrée avec ce garçon, quand j'ai observé son visage, avant même de savoir qu'on allait retrouver ce cadavre au fond de l'eau, j'y ai pensé. L'espace d'une seconde, je me suis dit, ça y est, elle s'est libérée, elle s'est vengée. Elle est quitte.

Aja bloque son regard sur la pendule au-dessus du sapin.

— Donc vous me confirmez, vous pensez que Manu Nativel aurait pu être son violeur ?

— Je... je n'en sais rien...

— Je crois que vous ne m'avez pas tout dit, Justine. La nuit de son viol, Johana n'a pas pu voir le visage de son agresseur. C'est bien cela ? Avait-elle un autre moyen de le reconnaître ?

Justine déglutit longuement.

— Oui.

Minuit moins cinq minutes

L'eau est bouillante. Plus chaude que l'air. Plus noire que la nuit.

Johana et Manu s'enfoncent dans l'obscurité, marchent vers le large comme s'ils fendaient l'océan. L'eau ne dépasse pas la hauteur de leurs cuisses, pourtant.

Ils sont invisibles, ils le savent.

Manu tient la main de Johana. Il la précède de quelques centimètres, pour lui ouvrir le chemin entre les récifs de coraux et poser avant elle les pieds sur le sable où se terrent poissons-pierres et oursins.

Galant. Charmant.

Johana tremble.

Enfin, Manu s'arrête.

— C'est sans danger ici, précise le pompier. Aucun risque de panique ou d'incendie. Et c'est le meilleur endroit pour admirer le show.

Ils se retournent.

S'ils sont invisibles, la vue sur le littoral est féerique. Face à eux, sur la plage, sous les filaos, ce ne sont que lumières, lampions, musique, rires, chants, et l'on devine que c'est ainsi sur des dizaines de kilomètres de littoral.

Johana cherche du regard Justine parmi la foule bruyante, mais ne la trouve pas.

Minuit moins quatre

Quelques fumigènes partent en avance. Des enfants courent au bord du lagon, là où les lueurs éclairent les premières vagues. Des étincelles crépitent, celles d'allumettes, torches et bûchettes qu'on prépare pour la mise à feu des fusées, des pétards, des lanternes. La côte forme un immense croissant illuminé jusqu'à Saint-Leu.

Prêt à s'embraser.

Minuit moins trois

Manu observe la cime des filaos, laisse l'alizé faire voler ses cheveux, comme un guetteur qui traque un imminent départ d'incendie en anticipant le sens du vent.

Sérieux et concentré.

Tout n'est pourtant que comédie, Johana le sait. Un patient mensonge.

Pas si patient d'ailleurs.

Manu s'est avancé, de trois quarts face à elle, et passe une main autour de sa taille. Johana frissonne, mais il ne la retire pas. Pas tout de suite. Manu s'enhardit, il est plus grand, sa main exerce une pression plus forte au creux de ses reins, son visage se penche vers elle, espérant qu'elle élèvera les lèvres. Johana n'en fait rien, tourne un peu la tête.

Manu se redresse, maladroit. Gêné d'être trop pressé.

— Tu as raison, bafouille-t-il. Il faut attendre minuit pour s'embrasser.

Tout n'est que comédie.

Le regard de Johana se perd à l'infini. Ne surtout pas le braquer sur cet homme. Ne surtout pas arrêter ses yeux sur le haut de son bras droit.

Ne surtout pas fuir maintenant.

Le laisser se coller à elle, ne rien laisser paraître de son dégoût. Se tenir droite, résister au vertige.

Devant elle, les filaos dansent au son du séga. Dans son dos, la barrière de corail va céder et une vague les submerger.

Ne pas bouger.

Attendre. Deux minutes encore.

Minuit moins deux

Manu s'est encore approché. Côte à côte, ils attendent l'embrasement du littoral. Deux ados timides devant un écran de cinéma. Le film va commencer. Manu la force un peu à pivoter, son shorty mouillé se frotte au nombril de Johana, elle sent contre sa peau le désir qui tend le tissu.

Ne pas y penser. Ne penser qu'à ce bras, ce bras pendu, relié à sa main.

— Doucement, murmure Johana.

Manu se recule, obéissant.

Johana tousse, l'empreinte mouillée du shorty de Manu laisse une morsure de froid, glace son ventre. Elle bloque une remontée de bile, refrène l'envie de rendre le rhum aux poissons du lagon.

Minuit moins une

Cette fois, la main de Manu, celle plaquée sur la hanche de Johana, descend vers son maillot, se glisse presque sur ses fesses pour l'inviter à une danse plus serrée.

— Non !

Johana a crié un peu trop fort. Son geste de recul était trop brusque. Manu s'écarte, étonné. Il la fixe, comme s'il se rendait compte que quelque chose boitait dans leur parade amoureuse.

Ne plus attendre, tant pis. En finir avant qu'il ne se méfie.

La main de Johana se sépare de celle de Manu et descend dans son dos pour saisir le couteau coincé sous l'élastique de son maillot, ce couteau qu'elle a attrapé dans l'obscurité sur cette table de camping, et dissimulé sans même se soucier de se blesser, qu'elle sort et tient dans l'ombre, contre sa cuisse.

Minuit

En une fraction de seconde, tout s'éclaire.

Des kilomètres de bord de mer explosent en des dizaines de feux d'artifice, s'illuminent à perte de vue. Des milliers de lanternes chinoises s'envolent ensemble dans le ciel, telle une migration fabuleuse de lucioles géantes et incandescentes. On entend une immense clameur, comme une ola qui ferait le tour de l'île.

Ça ne s'arrête jamais. Les filaos sont en feu.

C'est beau. Inoubliable. Inouï.

Il fait plus de 30 degrés. Il est minuit.

Partout on chante, on rit.

— On s'embrasse ? dit Manu.

Manu possède un sourire de bébé, des yeux farceurs, un bras fort, il l'avance tout doucement, comme on cueille un fruit délicat.

Ce bras...

Manu est à vingt centimètres de Johana.

Il avance les lèvres pour recevoir son baiser, le premier de l'année.

Johana lui offre la mort.

Lui plante le couteau en plein cœur.

Le ciel continue d'être inondé de lumières, d'étoiles éphémères.

Le corps de Manu coule doucement dans l'eau. Johana se sent légère.

Elle a soudain envie d'une bière, de champagne, elle se sent libérée, aérienne comme ces mini-montgolfières, comme si c'était ses années d'enfer, de honte, de peur, qui s'envolaient dans le ciel.

Comme si tout était réglé selon un calendrier sacré. Minuit pile. Les pendules sont remises à l'heure.

Maintenant, elle peut vivre.

Maintenant, elle peut s'amuser.

Minuit plus neuf heures

La capitaine Aja Purvi fixe la pendule au-dessus du sapin. Ses yeux suivent la course silencieuse de la trotteuse. Tom, Jade et Lola doivent terminer de déjeuner, commencer à écrire des cartes de vœux, à envoyer des messages aux amis de métropole, de Mada, d'Australie.

Sans elle.

Justine Patry s'est à nouveau fermée. À la dernière question d'Aja, *Johana avait-elle un autre moyen de reconnaître son violeur ?*, Justine a répondu spontanément :

Oui.

Puis plus rien.

Dans le couloir, des infirmières passent, se croisent, se souhaitent *bonne année*, puis un ton plus bas, *bonne santé*, de peur que les patients n'entendent. Aja attend encore trois tours de trotteuse avant de répéter à voix basse :

— Quel est ce détail, Justine ?

Justine semble hésiter. Devant ses yeux repasse le film de ces dernières heures. Depuis que Johana est tombée prostrée sur le sable. Elle revoit le visage de son amie se tordre d'une fulgurante douleur, quelques minutes avant la nouvelle année, quand Manu retire son T-shirt, lorsque son torse, ses épaules et le haut de ses bras sont illuminés le temps d'un éclair de fusée. Puis elle revoit son visage apaisé lorsqu'elle revient, juste après minuit, comme si tout était terminé. Jo lui en a si souvent parlé. Cette obsession. Cette prison qui la hante depuis son agression. La révéler à cette flic, c'est l'accuser.

Justine se tourne doucement vers Aja. Elle voit bien que la capitaine de gendarmerie déploie des efforts démesurés pour rester calme, patiente, à l'écoute, mais que son regard est happé par le cadran de l'horloge.

Pressée. Attendue sans doute.

Justine tourne encore un court moment les arguments dans sa tête. Avouer, c'est condamner Jo. Mais Jo est dans le coma, elle n'a pas le choix.

— Manu Nativel était son violeur, lâche-t-elle enfin à la capitaine de gendarmerie. Je crois que Johana est tombée par hasard sur lui. Je suppose qu'elle le cherchait, d'une façon ou d'une autre, depuis toutes ces années.

— Elle l'a reconnu, c'est cela ? Mais lui ne s'est pas souvenu d'elle ?

— Elle n'a été qu'une victime, parmi beaucoup d'autres sûrement. Une femme suivie à la sortie d'une boîte, prise de force un soir. Dans le noir. Il y a six ans. Effacée de sa mémoire depuis tout ce temps. Mais elle, comment aurait-elle pu l'oublier ?

— Je comprends, Justine, mais vous ne m'avez toujours pas répondu. Comment Johana pouvait-elle être certaine que Manu Nativel était son violeur, si elle ne connaissait pas son visage ?

Avant de répondre, la bouche de Justine se tord en un rictus de douleur.

— Son violeur portait un tatouage. Un tatouage très particulier. Deux dauphins qui se font face et une date, le 11.11.2000. Placé sur la clavicule et le haut du bras droit. Ce tatouage, c'était son idée fixe. Quand son violeur l'a maintenue allongée dans la savane de la ravine Fontaine, elle n'a vu que ce dessin, deux dauphins qui dansaient au rythme des muscles de cet homme qui pesait sur elle de tout son poids. Je crois que depuis cette nuit-là, Jo n'a plus jamais croisé un homme torse nu sans chercher à vérifier s'il possédait ce tatouage. C'était devenu un réflexe. Comme une marque au fer rouge potentiellement portée par n'importe quel garçon.

— Manu aurait porté ce tatouage ? Et Johana l'aurait reconnu ?

— Oui... Jo a compris quand ce garçon a jeté son T-shirt sur la plage. Moi aussi j'aurais dû comprendre. Que Jo se préparait à commettre un crime. J'aurais pu l'arrêter.

Aja pose lentement sa main sur les genoux de Justine.

— Attendez encore un peu mademoiselle Patry avant de vous accuser. Avant, il faut vérifier.

— Christos ?

— Ouais ?

Aja explique rapidement au téléphone les révélations de Justine Patry. Au fur et à mesure que les détails s'accumulent, le regard de Christos se bloque sur la famille Nativel assise sous la pergola du Récif. Tous, mère, père, frères, cousins, l'observent, attendant des nouvelles, qu'il raccroche, qu'il s'approche, qu'il leur dise les yeux dans les yeux : c'est fait, on tient l'assassin de votre gamin. C'est tout ce qu'il leur reste à espérer : un meurtrier.

Aja continue son récit. Christos s'éloigne de la pergola et se dirige vers l'entrée du Récif où deux collègues de la police scientifique de Saint-Denis entrent, un brancard sous le bras, pour évacuer le cadavre de Manu Nativel sanglé dans un sarcophage de plastique.

Manu Nativel... L'employé modèle, le pompier dévoué, le copain loyal, le fils idéal.

Il jette un dernier regard à la famille Nativel. Tous attendent que la justice fasse son travail, et on va leur apprendre qu'elle a déjà été rendue.

Leur fils était un violeur. Jugé. Condamné. Exécuté.

Qui va croire ça ? Lequel d'entre eux pourrait avaler cette version des faits ?

— Vérifie, Christos !

— Vérifie quoi, Aja ?

— Vérifie le tatouage. Avant qu'ils n'embarquent le corps à la morgue.

— Putain...

Christos arrête les deux brancardiers. Il sent le poids de toute la tribu Nativel dans son dos. Il bafouille trois mots à Morez qui se tient près du corps, puis tire sur la fermeture Éclair.

Des cheveux noirs, un front froid, un nez épais.

Mon Dieu, prie Christos dans sa tête, faites que ce gars soit innocent.

Le sac s'ouvre sur une bouche sèche, quelques poils sur le menton.

Faites qu'il ne soit qu'un pauvre type victime d'un salopard ayant trop bu, pris par hasard dans une bagarre. Nom de Dieu, faites que tous ceux qui l'aimaient puissent le pleurer. Qu'on ne les assassine pas une seconde fois.

Un cou, une épaule.

C'est la clavicule qu'il voit en premier.

Merde !

La petite avait raison.

Sur le haut du bras droit du corps allongé, Christos découvre le tatouage.

Exactement comme Justine Patry l'a décrit.

La date, 11.11.2000. Les deux dauphins.

Christos se redresse, fait signe à Morez de refermer le sarcophage, aux brancardiers de l'embarquer.

Son regard se pose sur le petit Cilian qui a trouvé le cadavre. Puis sur Dorian, assis près du bar.

Désolé mon fiston, ton idole de l'AS Marsouins était un salaud hors du terrain.

Puis sur la famille.

Désolé les amis, votre Manu adoré cachait un vilain secret.

Même s'il n'a pas le profil d'un agresseur sexuel. Même si c'est le 1ᵉʳ janvier. Même s'il avait envie d'y croire au gentil héros qu'il faut regretter.

Le téléphone de Christos pend toujours à sa main, le sous-lieutenant s'approche du bar, attrape son mojito, sans se soucier du regard inquiet des policiers, des Nativel, de Reynald Bertrand-Guy et de ses employés.

Cul sec.

Bonne année, bonne santé.

Très loin, Aja s'impatiente au creux de sa main.

— Alors, Christos ? grésille la voix de la capitaine.

— C'est lui !

Aja raccroche.

— C'est lui, confirme-t-elle à Justine.

La jeune fille semble rassurée. Johana va se réveiller, Jo sera accusée, mais peu importe, elle aura des arguments pour sa défense. Des arguments légitimes.

Elle se lève.

— J'ai envie de retourner veiller Jo.

Elles se dirigent toutes les deux vers la chambre 217. Aja jette un dernier regard à la pendule. Finalement, peut-être même sera-t-elle à Plateau-Caillou avant Tom, Jade et Lola.

Même s'il reste une question. Une question sans réponse.

Pourquoi Johana n'a-t-elle pas subi ce choc traumatique quand elle a découvert le tatouage sur l'épaule de son violeur ? Ou quand elle lui a enfoncé un couteau dans le cœur ? Pourquoi l'a-t-elle subi quelques secondes plus tard, alors que sa quête était achevée ? Qu'a-t-elle vu, à l'instant où elle a remis les pieds sur la plage de l'Ermitage ? Quel démon est revenu la chercher pour la ramener en enfer ?

Minuit une

Lentement, Johana revient vers la plage, l'eau descend le long de ses jambes comme si le lagon se vidait. Elle avait entraîné Manu loin, très loin, pour qu'on ne retrouve pas son corps avant le lendemain matin.

Des lanternes chinoises continuent de s'envoler. Elle n'en allumera pas cette année. Elle n'en allumera plus jamais. Son vœu, son seul vœu a été exaucé.

Ce salaud a payé.

Elle aime le joyeux bordel qui règne sur la plage, les enfants qui rient en allumant les pétards, les mères qui crient trop fort, le séga qui braille. Elle sourit à nouveau à la vie. Quelques mètres devant elle, elle reconnaît les amis de Manu, tout le cercle est là, de l'eau jusqu'aux chevilles, torses nus, bière Dodo à la main, à tituber, s'éclabousser, et appeler.

Manuuu !

Manuuu !

Ils pourront le chercher longtemps !

Sur sa droite, elle repère la tente Quechua, Justine l'attend devant. Elle profite d'une fusée d'artifice plus blanche, plus lumineuse, qui éclaire un instant toute la plage, pour lui adresser un signe de la main.

Pour profiter du spectacle.

Les enfants, les familles, les femmes sous les filaos, les garçons devant elle sur le sable.

Un instant de grand blanc.

Juste avant le noir.

Minuit plus neuf heures quinze

— Christos, y a du monde pour toi ! Devant l'hôtel. Ils veulent tous témoigner. Ils sont au moins une quinzaine !

Morez se tient devant le hall de l'hôtel, paniqué, débordé, aussi à l'aise qu'un vigile qui peine à contenir une horde de fans qui veulent franchir les barrières d'un stade.

— Font chier, je suis au téléphone... Qu'est-ce qu'ils veulent ?

— Témoigner, je te dis.

— C'est qui ?

— Les potes de Manu Nativel. Toute sa bande.

— Ils ont du nouveau ?

— Non, je ne crois pas. Ils viennent juste se mettre à la disposition de la justice, comme on dit.

— Bah tu leur dis que la justice, elle est déjà bien occupée !

Christos s'est assis sur un transat et se dit qu'il va les faire attendre un bon moment, les copains. Déjà qu'il va devoir expliquer à la famille que le gentil pompier volontaire assassiné n'était qu'un violeur pervers. S'il faut l'annoncer à tous ses potes dans la foulée...

Christos s'éponge le front. La chaleur moite est déjà intenable au soleil. Il se sent sale pour la première fois depuis ce matin. Il a envie d'une pause, de fraîcheur, de se laisser glisser dans la piscine en uniforme, histoire de se laver sans même se déshabiller, de s'allonger ensuite sur le transat pour se laisser sécher, de s'endormir ainsi.

Il voit à regret Morez agiter les bras. Flanqué de Lambat. Ils ne le lâcheront pas. Il observe les collègues approcher à travers le verre poli de son cocktail. Vide.

Se rincer au moins les dents dans le fond de son mojito. Sucer un glaçon citron-menthe.

— Ça grogne, Chris, gémit Morez. On n'arrive pas à retenir les copains de Manu Nativel, ils ont appris que leur pote s'est fait planter. Ils veulent le venger. Ils soupçonnent une fille. Elle l'a allumé toute la soirée avant de disparaître avec lui dans le lagon.

Christos se lève en soupirant.

Quand ils vont savoir pour la fille, pense le sous-lieutenant, ça va calmer leurs instincts de shérifs des tropiques.

Morez insiste.

— Faut leur parler, patron. Ils vous attendent dans le hall du Récif.

— OK. OK.

Christos avance jusqu'à la réception de l'hôtel. Quinze hommes patientent dans le hall. Quelques-uns assis, la plupart debout ; quelques-uns fatigués, la plupart énervés. Ils lèvent tous vers le sous-lieutenant un regard noyé par la douleur.

Un cercle brisé.

Visiblement, ils ont vite dessoûlé.

Un clan soudé.

Ils ont tous à peu près le même âge. Tous cafres, comme Manu. Tous sportifs, comme lui. La plupart portent le même short, la même casquette, les mêmes baskets, aux couleurs du club de l'AS Marsouins de Saint-Leu.

Tous de la même génération. Tous potes dans le même club de foot.

Une épopée de Coupe de France, ça ne s'oublie pas ! Sortir un club de Ligue 1, un soir de novembre 2000, c'est un truc qui reste gravé à jamais.

Il fait déjà une température étouffante dans le hall de l'hôtel, à moins que ce ne soit le mélange d'alcool et de larmes.

Aucun des quinze copains ne porte de T-shirt.

Tous portent, en revanche, tatoués pour toujours entre leur clavicule et le haut du bras droit, les deux dauphins de l'AS Marsouins.

Et une date, celle de leur exploit commun.

11.11.2000.

MICHEL BUSSI

UN AVION SANS ELLE

« Une intrigue magistrale, laissant le lecteur complètement scotché au livre, jusqu'aux dernières pages. Du très grand art ! »

RTL

Michel BUSSI
UN AVION
SANS ELLE

23 décembre 1980. Un crash d'avion. Une petite libellule de 3 mois tombe du ciel, orpheline. Deux familles que tout oppose se la disputent. La justice tranche : elle sera Émilie Vitral.

À 18 ans, des questions plein la tête, la jeune femme tente de dénouer les fils de sa propre histoire. Jusqu'à ce que les masquent tombent...

Cet ouvrage a reçu le prix Maison de la Presse

Composition et mise en pages
Nord Compo à Villeneuve-d'Ascq

Imprimé en Espagne par
Liberdúplex
à Sant Llorenç d'Hortons (Barcelone)
en janvier 2018

POCKET – 12, avenue d'Italie – 75627 Paris Cedex 13